草思社

まえがき

いま国外旅行をすると、どの国でも日本及び日本人に対する関心が高いように感じられる。むろん理由の第一は、クルマ、電気機器、エレクトロニクス、時計、カメラなど、日本製品の大量進出にあるだろう。日本が非常に高度な工業技術と生産性とを持つことはこれらの製品でわかるが、これを作った日本及び日本人とは一体いかなるものか、物は見えても人間の顔が見えないというのが、関心を高める理由になっているようである。実際わが国の政府は海外に対する自己宣伝を怠りすぎているから、そういう要求が起るのももっともだと思われる。

理由の第二は、しかしそれと相反するもので、逆に日本人の大量の海外渡航に由来するもののようである。史上かつてなかったほどの数の日本人ツーリストが各地各国に出掛けるし、また企業の長期滞在者の数も少くない。かれらの行動をじかに見て「これが日本人か?」という疑問を抱く。その疑問は概して否定的な性質のものだが(本文第十六章参照)、それもまた日本及び日本人への関心を高める理由になっているのは皮肉である。日本人とはただホモ・ファーベル(物を作る人)であって、物を作って売るだけの者なのか、それ以外の文化を持たないのか、というわけだ。

それ以外にもまだ理由はあるだろうけれども、わたしが受けた印象ではほぼその二点によるようであった。そして何かにつけて日本及び日本人について質問されるわけである。

わたしは話を求められるたびにいつも「日本文化の一側面」という話をすることに決めて来た。内容は大体日本の古典——西行《さいぎょう》・兼好《けんこう》・光悦《こうえつ》・芭蕉《ばしょう》・池大雅《いけのたいが》・良寛《りょうかん》など——を引きながら、日本には物作りとか金儲けとか、現世の富貴《ふうき》や栄達を追求する者ばかりでなく、それ以外にひたすら心の世界を重んじる文化の伝統がある。ワーズワースの「低く暮し、高く思う」という詩句のように、現世での生存は能《あた》うかぎり簡素にして心を風雅の世界に遊ばせることを、人間としての最も高尚な生き方とする文化の伝統があったのだ。それは今の日本と日本人を見ていてはあまり感じられないかもしれないが、わたしはそれこそが日本の最も誇りうる文化であると信じる。今もその伝統——清貧《せいひん》を尊ぶ思想と言っていい——はわれわれの中にあって、物質万能の風潮に対抗している。それは現代の日本の主たる潮流ではないからあえて「一側面」と遠慮しておくが、実はわたしはこれこそが日本文化の精髄だと信じているのだと、古典の詩歌を引きつつ、わたしの「清貧の伝統」と考えるところを話して来たのだった。

かつて明治時代に『日本及び日本人』という国粋主義の雑誌があり、戦時中の皇国主義的国粋主義の支配下に青年期を送ったわたしには国粋主義くらい嫌悪すべきものはなかったのに、そのわたしが齢をとってこうして結果的には、かれらと同じように『日本及び日本人』の宣伝をすることになったのは、これもまた皮肉な成行きであった。

ただ、講演では話がどうしても大雑把になる。充分に意をつくせぬことのほうが多い。話そうと思っていながら話せなかったこともある。またそれ以上に、話しているうちに自分の認識や知識の不充分さに気づくこともある。これはたんに外国人向けの日本文化案内には留《とど》まらないのだ、自分自身のためにももっと正確に知り、認識を深めなければならぬ、と感じて来たということもある。

そういう気持が嵩《こう》じて来て、いつかはこれを書くことで確かめておかねば、と思っていた。が、こういうことは内心で思っていても機会がないとなかなか実行できないもので、そのままに打過ぎていたところ、たまたま草思社からその話を書くようすすめられた。いい機会だと思ったが、これもそのままにしておいた。ところが今年の正月元旦、何か書き初めをと思い立って原稿用紙に向ったとき、ふとこれを書く決心がついて書き出したら、思いがけず自分でも興が乗って、以後毎日、他の仕事を全部放擲《ほうてき》して書きつづけることになったのは、われながら驚きであった。こんなことはわたしとしても初めての体験である。

「I」と名付けた十五章に書いたのは、わたしがそのつど話して来たこと、ないし話そうと思いながら充分に話せなかったことである。日本の読書人には周知の事柄で珍しくないこともあえて記してあるのは、話す相手が外国人だったためととっていただきたい。

そしてこの十五章でとりあげた話を材料としてかれらに何を訴えようとしたか、わたしがそれをどう思うかを記したのが、「II」と題した部分で、むろん主眼はここにある。これはあえて言えばわたしの祈りのごときものである。そうあってほしいという話である。そのためにいささか美化している向きもあるだろうが、それがわたしの念願であることには間違いがない。

いま地球の環境保護とかエコロジーとか、シンプル・ライフということがしきりに言われだしているが、そんなことはわれわれの文化の伝統から言えば当り前の、あまりにも当然すぎて言うまでもない自明の理であった、という思いがわたしにはあった。かれらはだれに言われるより先に自然との共存の中に生きて来たのである。大量生産＝大量消費社会の出現や、資源の浪費は、別の文明の原理がもたらした結果だ。その文明によって現在の地球破壊が起ったのなら、それに対する新しいあるべき文明社会の原理は、われわれの先祖の作りあげたこの文化——清貧の思想——の中から生れるだろう、という思いさえわたしにはあった。

一個の文士の夢と嗤《わら》うなら嗤え。わたしはそんな夢のような願いをもこめてこれらの話をして来た、ということだけが事実である。

●清貧の思想●目次●

カバー・本扉　浦上玉堂「煙霞帖」より　梅澤記念館蔵

I

わたしがこれから語ろうとする話は、日本でもいまではあまり聞かれなくなったが、たしかにかつてこの国に生きていた人たちの物語である。たんにそういう人たちがいたというだけでなく、かれらの生き方はいわば思想となって代々尊まれて来たのでもあった。それは一言でいえば、これもいまは廃語にひとしい言葉になってしまった「清貧」という語であらわすしかない「清貧の思想」ということになろうが、抽象的にそれを語るよりも具体的に事例をもって示したほうがよくわかってもらえるのではないかと思うので、早速その話に入る。

一、心の内なる律を尊ぶ

本阿弥光悦と肩衝の茶入れ

まずあの本阿弥光悦《ほんあみこうえつ》(永禄一〜寛永十四 一五五八〜一六三七)のエピソードから始めよう。

光悦はいまでは書と、黒楽赤楽の茶碗と、船橋の蒔絵《まきえ》などでばかり知られているが、この人が生涯にわたって最も好んだのは茶の道であって、彼は当時茶人としても有名であったのだ。光悦をよく知る文人灰屋紹益《はいやしょうえき》(慶長十五〜元禄四 一六一〇〜一六九一)は、千利休亡きあと今の世に茶の心を深く知る者は太《たい》虚庵《きょあん》光悦ぐらいのものかとさえ言っているほどである。もっとも彼の茶道についての考えは利休とはだいぶ違い、利休に対しては大いに批判的だったが、若い時はしかし彼もずいぶんと道具に凝ったようで、これはその道具執着についてのエピソードである。

光悦がまだ若かったころのあるとき、小袖屋《こそでや》の宗是《そうぜ》という者が持っている瀬戸《せと》肩衝《かたつき》の茶入れを一目見て、ぜひとも手に入れたいと願うほど惚《ほ》れこんでしまった。が、なにぶんにも値が高い。黄金三十枚というのは今の金にしてどのくらいか、とにかく手も出ない大金で、光悦にはとうてい金策のメドが立たない。しかし道具というものは一度欲しいとなるとますます執着が募《つの》るものである。光悦は何が何でも手に入れたいと苦慮した。

光悦の執着と金策に苦慮するさまとを見て宗是は気の毒に思い、それではまけて進ぜようと申し出た。が、ここが光悦の光悦たるところで、まけてもらうのはいやだと断った。この瀬戸肩衝の茶入れは天下の宝であって、黄金三十枚の値は充分にあるものである。それをまけてもらうわけにはいかぬと断り、とりあえず住む家を黄金十枚に売り払い、さらに人から二十枚借りて、初めの言い値どおりの値段でついにそれを手に入れたのであった。

このころは織田信長、豊臣秀吉と二代にわたって茶道具を尊び、道具を知行の代りにしていたくらいだから、茶道具は特別に宝とされた時代である。また千利休は一品でもよい宝を持ってふだんから使うことをすすめたので、茶の道に志すほどの人は誰でもこんなふうにかなり無理してでもいい物を持ちたかったのだ。

光悦も新しく手に入れた茶入れが自慢で同好の士に見せたくてならなかったのだろう。この小袖屋の茶入れによい茶を入れて前田の殿様にお目にかけに出かけた。

本阿弥はもともとが刀の研ぎ、目利き、磨きを家業とする家で、この道では天下第一の家とされ、代々多くの大名家にかかわりがある。わけても加賀の前田家との縁は深く、光悦の父光二《こうじ》のころから利家卿に扶持《ふち》を貰っていたほどで、それは利家の子利長卿の代になっても変らず、光悦も利長卿を初め前田家の家臣とも日ごろ付合いが深かったから、こうして気軽に自慢の品を見せにいったものと思われる。

前田家も代々茶の道に心を入れることの深い家柄だ。はたして光悦がその茶入れに茶を入れていって茶を点《た》てて進ぜると、殿様は大いに気に入られ、さてさてそなたはよい茶入れを見つけ出したものかな、と御機嫌であった。

殿様の御機嫌もよく、上首尾にほくほくして光悦が帰ろうとしたときであった。横山山城守を初めとする家老の面々が光悦を呼びとめ、書付けを示して、その茶入れ、殿様は殊《こと》の外《ほか》にお気に入られた御様子である、白銀三百枚にてお譲りいたせと言う。しかし光悦はそれを断った。これは御当家より戴《いただ》く扶持を年来貯えておいて買い求めたものでありますゆえ、お目にかけただけでござりまする、売り買いのため持参したのではありませぬと言って、家老たちが代る代る叱ったけれども決して承知しなかった。

幕方に親の家に帰って、本日はこれこれしかじかにて殿様の御機嫌もよく上首尾でございましたと報告し、さらに帰りがけに御家老たちが白銀三百枚を下されようとしましたと言いかけたとたん、母親の妙秀《みょうしゅう》（享禄二〜元和四 一五二九〜一六一八）がキッとなって、そなたその銀を拝領して来たのか、と咎《とが》めた。そこで光悦がそうはしなかった旨《むね》を段々に説明すると妙秀は機嫌を直して、

「よくぞお返し申しあげた。もしその銀子を拝領したならばせっかくの茶入れもすたれものになり、そなたは一生茶の道をたのしむことが出来なくなったであろう。よくぞお請けしないで来た。」

と大変な悦《よろこ》びようであった。

この話は『本阿弥《ほんあ》行状記《みぎょうじょうき》』という、本阿弥一族の行跡を記した本に載っているが、いかにも気持のいい話で、妙秀という人の物の考え方、光悦の心持がよく察せられるのである。利得というような念は毛頭なく、もっぱらいい品物を手に入れてただそれゆえによろこんでいたのだ。もし茶の道の道具に利得がからんだならば、その道具も、さらには自身の茶の道もすたれる、茶の道をたのしむことが出来なくなると、ひたすら心のありようだけを重視したのである。本阿弥の家は商家であるけれども金銭にとらわれず、心の内なる律を尊んだことがこの話からも知られる。

小袖屋の茶入れを、宗是がまけようと言ったのに断って光悦が元値で買ったという話は、すぐに京中にひろまったらしく、その話を聞いたほとんどの人が「気違い沙汰だ、バカなことをしたものよ」と嘲った中で、光悦の所業をほめたのは徳川家康ひとりだったといわれている。家康は光悦のそういう心情を愛していたのだ。

小袖屋の肩衝の茶入れに関するこのエピソードを見るかぎりでは、光悦も道具に執着する茶人の一人だったようで、事実若いころはそうであったに違いないけれども、灰屋紹益がのちに『にぎはひ草』という本に書いているところによると、あとではそうでなくなっている。紹益は幼い時分から光悦のそば近くにいて、光悦に愛されることずいぶんに深かった人だが、彼はこう言っているのである。

みづから茶をたて、生涯のなぐさみとす、人ののぞみ好む道具なども、しばらくは持《もち》たる事有《あり》けれども、おとすな、うしなはぬやうになどいふ事、いとむつかしとて、みなそれ〴〵にとらせて、後人《のち》のほしゝと思ふべき物なかりし。

名物は、それが名物なればなるほど「やれ落とすな、やれ失くすな」とそれに心をとられ、心の平安を失わせる。そんなものに心を乱されるくらいならいっそ持たぬにしかぬと、みな人にやってしまって、おのれはごくふつうの雑器《ざつき》で茶そのものをたのしんだというのだ。光悦の心掛けがよくわかる話である。

紹益はさらにこうも言っている。

光悦は、よをわたるすべ一生さらにしらず、若かりし時より、物の数を合するものゝたぐひ、おもしかるしとしるもののたぐひ、一生我家の内になし。金銀手にのせたる事、昔、加州の大納言、直《じか》に判金を給《たまはり》ければ、手にとりていたゞきたると覚《おぼえ》たり、其外《そのほか》一度も手に持《もち》たる事なし。

身すぎ世すぎのために金を稼ぐようなすべは一生まったく知らなかった。金勘定をする算盤《そろばん》とか、金銀の目方を計る秤《はかり》とか、そんなものを家の中に置いたことはなく、銭をじかに手にしたのは、その昔加賀の利家卿が手ずから下されたので仕方なく受取ったことがあっただけで、それ以外は一度もなかった、というのである。信じられないような話だが、紹益が嘘を書き記すわけはない、事実光悦という人はそれくらい徹底して利得の外の別乾坤《べつけんこん》に生きる人であったのだろう。

我身をかろくもてなして、一類眷属《いちるいけんぞく》のおごりをしりぞけん事を思ひ、住宅麁相《そそう》にちいさきを好みて、一所に年経て住《すめ》る事もなく、茶湯にふかくすきたりければ、二畳三畳敷《じき》、いづれの宅にもかこひて、みづから茶をたて、生涯のなぐさみとす。

光悦のことをわたしは少年のころ吉川英治の『宮本武蔵』で初めて知り、あそこに描かれたでっぷりふとった有徳人ふうの人物をながいあいだ光悦の像と思いこんでいたが、実際の光悦は決してあんな大邸宅に住む富裕な商人的人物ではなかったのだ。住宅は小さく粗末なのを好み、ただどの家にも二畳、三畳の小さな茶室を作って茶をたのしんだだけだったのである。『本阿弥行状記』にも、光悦の暮しぶりについてこう記されている。

光悦が身上《しんしょう》に奇特《きとく》なる事多けれども、学びがたきことは、二十歳計《ばか》りより、八十歳にて相果《あいはて》候迄は、小者一人、飯《めし》たき一人にてくらし申事《もうせしこと》なり。

いよいよもって吉川英治の描く、富裕なる町人光悦とは天と地ほどもちがう暮しだったわけである。本阿弥の家は決して貧しくはなかったろうに、粗末で小さな家に住み、小者一人、飯たき一人のほか使用人もなく、質素に暮したというのだ。むろん光悦がみずから欲してそういう簡素な生を選んだからであって、つまりそれは思想からしての簡素な生だったわけである。

だれだって事情さえ許すなら広大な邸宅を営み、豪勢な家具調度にかこまれ、召使いにかしずかれて、勢威を張って暮したかろう。それが自然の情というものだ。光悦だってやろうと思えばそれが出来ただろうにあえてこのような簡素な生を選んだのは、考えるところがあって、思想が自然の情を抑え従わせたからである。欲望を支配しうるほど精神のほうが優位だったと言ってもよいが、ではその思想とは一体どういうものだったのか。

二、慳貪にして富貴なることを嫌う

本阿弥妙秀の暮しと生き方

光悦のその生き方の原理とでもいうべきものを知るには、その前に彼の母親妙秀のことを知る必要がある。

『本阿弥行状記』には最初にその妙秀の逸話が十三ほど載っていてそれはどれもが面白い。夫の光二が讒言《ざんげん》のため信長の不興を蒙っていたとき、狩に出た信長の馬の口にとりついて無実を訴えたとか、石川五右衛門が本阿弥の蔵に押入って武将から預っている名刀をことごとく盗んでいったとき、歎き悲しむこともなく、かえってそんな名刀を盗んですぐに捕まるであろう盗賊の身の上を憐《あわれ》んだとか、いろいろとあるのだが、ここでは貧富についての彼女の独特の考えだけにしぼると、妙秀は何よりも慳貪《けんどん》にして富裕なることを嫌ったという。

慳貪とは、辞書によれば、欲深くしていつくしみの心がないこと、むごいこと、貪欲なことと
あり、つまり自分さえよければ他人のことはどうでもいいという者のことだ。とすればいつの時代にも共存共栄を図るよりも慳貪なる者のほうが多いわけで、現代でもその例にはこと欠かないが、戦国乱世がようやく収束したばかりのこの時代には商人で成功した連中にはそういうのがことのほか多かったらしい。土倉《どそう》とか酒屋とか寺院とか、他人の物を質《しち》にとって金を貸す連中にはそういう輩《やから》が多かったのかもしれない。

妙秀の逸話の一つに、京に大火があって妙秀の婿《むこ》の家が類焼したときの彼女の反応を記した条があり、彼女の考えをよく示している。

婿の家の様子を見に行った召使の女が、ただいま土蔵《どぞう》にまで火が入りましたと報告すると、妙秀は歎くどころか、「さてさて、嬉しや嬉しや」とよろこぶ有様なので、光悦が聞き咎め、「何ということを仰せられるのですか、人の聞えもありましょうに」と言うと、妙秀はこう答えたというのである。

「いかにもその通りですが、もとはといえばあの者の先祖はまことに無慈悲、慳貪の者でありました。わずかの金を貸してはよい物を質にとり、借りた者がようやく金を都合《つごう》して質を受けとりにくると、あれはもう日限が過ぎたのでよそへ払ってしまったなどと偽りを言って返さなかった。その道具の持主は、それを質から出し高値《こうじき》に売り払って妻子を養おうと思って金を用意して来たのに、流されたといわれ、どんなに困り切っていても、戻してやろうとはしなかったのです。かように、それほどむごく気の毒にも人の宝を奪ってわが物にし、高値に売りわたしては欲深く貯えておいた財宝が、あの蔵の中にはあったのです。あんな罪深い財宝があるうちはあの者たちはいずれ災難に遭うであろうと、明けくれ心苦しく思っておったので、いま蔵へ火が入ったと聞き、嬉しさのあまりなんの弁《わきま》えもなくつい嬉しやなどと口走ってしまったのでした。ゆるしてくだされ。」

話の口ぶりからするとこの婿の家も土倉《どそう》の一人で金貸しをしていたのだろう、妙秀はかねてその家の風の悪性なのを憎んでいたので蔵が焼けたことをよろこんだというのである。いかに妙秀が日ごろ慳貪なる者を嫌い憎んでいたかがわかる。

妙秀は慳貪にして富貴《ふうき》なる者を憎んでいたばかりではなかった。慳貪を憎むあまり彼女は富貴なる者は必ずやどこか慳貪なるところがありはしないかと疑い、やがては貧しい者の多い世に富貴であること自体を罪深いことと考えるようになったようである。とくに一族の者の縁組をきめるときに、金銭あるがゆえに嫁をとったりすることを最も嫌ったという。

富貴をのぞんで縁組をしてもろくなことにはならぬ、それは人間関係を害《そこな》うばかりでなく、人間そのものをダメにする。富貴であることのみをよしとするのは、欲深く鼻の先にばかり知恵のある者に決っている、と彼女はかねがね若い者たちに言いきかせていた。

妙秀が最も重んじたのは何よりも人の心のありようであった。たとえ、貧しくとも夫婦のあいだに愛情さえあれば、「いかほど貧しくともたんぬべし」と言った。富貴な家の当主が死んだあと、兄弟の間に醜い争いの起るのはよくあることだが、貧しい者の死んだあと兄弟が争ったためしはない。人がしあわせになるかどうかは富貴か貧乏かによるのではない、ひとえにただ人の心のありようによるのである、ともかねがね言っていた。

語録を見ると妙秀は、貧困ゆえに起る不幸よりも富貴が人の心に及ぼす害毒を重視し、人でなしとなって富貴であるよりは貧しくて人間らしいほうがよほどよい、と考えていたようなのである。おそらくこの時代、戦乱の世が収ってまもなく、世間の大方は食うや食わずの貧しい暮しを余儀なくされている中で、ある家族だけが抜《ぬき》んでて富裕になるには、なにがしかの無理あるいは非人情なしにはすまなかったのであろう。十九世紀の初期資本主義時代の資本家にディケンズが描いたような酷薄非道の者が多かったのと同じことといえようか。現代だって、ある国が他に抜んでて富める繁栄国、貿易黒字国となる背景には、そのために犠牲になる貧しい国々があるのと同じだろう。全体が貧しい中で一国だけ富裕になるには、たとえ法律は許しても、そこにはなんらかの無理が行われているはずである。妙秀は、本阿弥の家そのものが茶屋や後藤や角倉《すみのくら》と並び称される京の代表的町家であっただけに、新興資本家のそういう非道の例を近くから見聞する機会が多くあり、かねがね金銭がいかに人をして人でなしにするかをつぶさに見、それを怒り憎んでいたのだと思われる。

灰屋紹益の『にぎはひ草』に、光悦が実体はそんな慳貪非情な商人とは知らず長いあいだ付合っていた話が記されている。

当時、京に何の某といって知らぬ者とてない富裕な商人がいた。家富み、眷属《けんぞく》も多く、権力者の前に出てもちぢこまらないので、さすが都の商家は豪儀《ごうぎ》な者よと噂しあっていた。

この男は年下であったが、風雅の道に志があったのか若いころから光悦にきわめて懇《ねんご》ろにつくすので、光悦も六十過ぎるまでこの者と大変親しく付合っていた。

ところがある年の大晦日に光悦がふらりとその家に立寄ると、門から庭の内までびっしりと人が立ちこめ、険悪で殺気だった一種異様な気配が立ちこめている。見たこともない思いもかけぬ光景なので驚愕し裏口から入って茫然としていると、主人が出て来て挨拶したが、光悦は驚きのあまりまだ物も言えない有様だった。同じその部屋にこの家に出入りする何某という禅坊主がいた。亭主がもてなしの支度を命じに席を立ったあと、この坊主がお相手をしようと寄ってきたので、光悦がおそるおそる、

「いったい何事がこの家に起ったのでありまするか。こんなことがあろうとは年頃思いもよりませなんだ、いかなる大事が出来《しゅったい》いたしたのです。」

と尋ねると、禅坊主はにやりと笑って言った。

「かくも夥《おびただ》しい人が立てこんでいて、さぞや驚かれたことでありましょう。しかしこれがこの家の家風でありましてな、毎年いまごろはこういうことが起るのです。」

光悦はなおわけがわからず、それはいかなることかと尋ねると、坊主はこう明かした。

「この家では一年間この家に物を納めた者、この家で働いた者どもを、こうやって一堂に集めておいて、その支払いを大晦日の夜半近くなっていっせいにいたすのでござる。なぜさようなことをするかのわけは、とてもあなた様のような方には思いもよりますまいが、これはこれで大いに徳分のあることなのでありますよ。」

つまり禅坊主は、そうやって一度に大勢の支払いをすれば多少は勘定が合わずとも人は受取って帰らざるをえなくなる、というのである。

それを聞くと光悦はさっと顔色を変え、立ち上って、亭主が出て来て引きとめようとしても一言も言わずに帰ってしまった。

以後、正月にこの者が年賀に来ても会わず、手紙が来ても返事せず、二度とその家のあたりに近寄ろうとしなかった。そして家族の者との茶のみ話のおりに、やがてこう語ったという。

「あの者は年来大変懇《ねんご》ろにしていた者で、かれこれ四十年以上の付合いになろうが、あのような心掛けの者とは知らなかった。わが目の見えなかったことが恥しい。人はだれでも正月を迎える用意に、あらかじめあれこれ物を買いおいて祝う支度をしたがらぬ者はなかろうに、大晦日の夜半まで待たせて支払いをいたすなど、人のすることとも思えぬ。ああいう心掛けではいつか必ずその報《むく》いを受けるでありましょうよ。」

紹益がわざわざ記しておいたところを見れば、この事件は光悦にとっても忘れられぬほど大変なショックだったのだろう。当時の富裕なる者にはこのようなふるまいをしてでも利得をはかろうとする者のいたことが知れるのだ。メキシコやフィリピンの大荘園《アシエンダ》の経営者の中には、今でも零細な使用人にこんなふるまいをする者がいるというから、いつの時代にもあったことなのだ。

光悦ともあろう者が四十年ものあいだその正体を見抜けなかったとはいぶかしい気もするが、その男はそれまで光悦に対してまんまといっぱしの風流人の衣をかぶりおおせていたのであろうか。

妙秀が富貴の者といえばまずその心情を疑ってかからずにいられなかったのは、こういう例をいやというほど見聞きしていたせいだったに違いない。世間一般がまじめに働いても貧しい中にひとり抜《ぬき》んでて富貴になる者がいれば、まず疑ってかかるのが当然である。今日の政治家の行状を見れば、決してこれは妙秀や光悦の時代のことばかりではない。

そういう時代にあって妙秀の心構えはどうであったかといえば、

一、身の貧なる事には苦しからず、富貴なる人はけんどんにて有徳に成《なり》つるやらんと心もとなし。

一、金銀など持参《もちまい》る嫁を尋ぬるはふがひなし、禍《わざわい》の基なり。

一、金銀を宝と好むべからず。

一、夫婦の仲互ひに大切ならば、いかほど貧しくともたんぬべし。

これが原理であって、また彼女の人を観る基準でもあったのだ。

そういう妙秀の生き方を目に見るように語るエピソードが『本阿弥行状記』の、妙秀についての話の最後に出ている。それをそのまま今の言葉に直してみよう。

本阿弥の一類の者は大方が光二・妙秀の孫ひまごであった。もともとそうであるうえにだれもが妙秀の人柄に畏《おそ》れをいだいていたから、大いに重んじて、われもわれもと競って孝をつくしたものであった。それで大勢の子孫の者たちは訪れるたびに田舎《いなか》の土産《みやげ》や時服《じふく》をたびたび献上したのであったけれども、妙秀はそれらを貰うとたちまちみな裁ち切ってしまって、帯、えり、頭巾《ずきん》、手覆い、帛紗《ふくさ》などに仕立てて、大勢の人に与えてしまうのがつねであった。

小袖をさしあげても、もはやばばが袖を通すことはあるまいからよしなしと言われるので、さればと銭をじかにさしあげると一入悦《ひとしおよろこ》ばれた。そしてその銭でいろいろさまざまな物を山ほど買いおいて、家を持つ者には箒《ほうき》、ちり取、火打ち箱、火ばし、または硫黄、ささらの類をとらせ、六尺や草履取《ぞうりと》りには、わらじ、こんごう（堅固で破れぬよう拵《こしら》えた草履、金剛草履《こんごうぞうり》）を、女には糸、綿、鼻紙、手拭をとらせ、また厚紙を買い求めて手ずからよく揉《も》みほぐしておいて、薬売り、乞食、非人をもまねきよせ、寒い時節にはこれを背にあてるがよいと言って大勢の者に与えたのである。

妙秀は九十歳にて死んだが、死んだあとを見ると、唐島の単物《ひとえもの》一ツ、かたびらの袷《あわせ》二ツ、浴衣、紙子の夜着、木綿のふとん、布の枕ばかりで、このほかには何も残っていなかった。

わたしはこの話が好きで、いままで機会あるごとに話したり書いたりしてきたが、妙秀のこのふるまいは慈善というようなものではあるまい。彼女は他に貧しい者が大勢いる中に己れ一人が多くの物を所有することを悪と感じていたに違いないのである。そしてそう感じるには所有に関する明確な哲学が彼女にあったと思われるのだ。

一つは、人間が生きてゆくためには一体何が必要で何が必要でないかを、妙秀は日ごろよほどに徹底して省察していたのだとわたしは思う。人ひとりが心の充実をはかりながら生きてゆくうえで、住居、家具、着物、食物その他生活のあらゆる面で、何があれば足り、何がなければ不足か、それを考えぬいた末が、およそ極限と思えるほどきりつめた簡素きわまりない所有となって示されたのだと思う。

そしてそうなったについてはさらに二つ目の理由として、所有に関する世間の常識とは違った独自の考えがあったと思われる。世間ではともすれば金銀でも持物でも多く所有すればするほど人は幸福になると信じているようであるが、これくらい間違った考え方はない。むしろそれは逆なのであって、所有が多ければ多いほど人は心の自由を失うのである。

考えてもみるがよい。大邸宅を営めば、その維持管理に大勢の人を使い、維持するだけで終日心を労さねばならなくなる。珍器財宝《ちんきざいほう》を所持すれば、やれ壊すな、やれ盗まれるなとたえず気を使わねばならぬ。そもそもがそういう大邸宅の暮しを維持するには莫大な経費がかかり、それをつくりだすためにもますます財を稼ぎだすための働きをしなければなるまい。まことに愚かなことである。人は所有が多ければ多いほど所有物に心を奪われて、心は物の奴隷となってしまう。されば、もしそなたが自由にのびのびと日を送ろうと念ずるのなら、物欲などは捨てることである。物への執着から自由になったとき、人の心がどれくらいゆたかになるかを知ってほしいものである。

妙秀はそのように考えていたとわたしには思われるのだ。そして妙秀が独力でつくりあげたこの考えが、『徒然草』の記すところと奇しくも重なり合うことに驚かされるのである。

身《み》死して財《たから》残る事は、智《ち》者《しゃ》のせざる処《ところ》なり。よからぬ物蓄《たくは》へ置きたるもつたなく、よき物は、心を止《と》めけんとはかなし。こちたく多かる、まして口惜《くちを》し。「我《われ》こそは得《え》め」など言ふ者どもありて、跡《あと》に争ひたる、様《さま》あし。後《のち》は誰《たれ》にと志《こゝろざ》す物あらば、生《い》けらんうちにぞ譲《ゆづ》るべき。朝夕《あきゆふ》なくて叶《かな》はざらん物こそあらめ、その外《ほか》は、何も持《も》たでぞあらまほしき。（第百四十段）

妙秀が『徒然草』を読んでいたとも思われないが、その思考の到達したところはまったく兼好法師が十四世紀初めに言っていたことと重なり合っているのである。

人間は生きてゆくうえで必要欠くべからざるだけの物があればよい、それ以外の物なぞ何も持たないのが真の自由人というものである、と言う。その人が死んだあと財《たから》が残っていてはろくなことがない。つまらん絵画《かいが》だの骨董《こっとう》だの、書物だの家具だのが残っていれば、あいつはこの程度の人であったかと思われる。邸宅や田地や金銀が残っていれば、相続人たちが「我こそは得め」と血まなこの争いをしよう。死後そんな争いが起るようなことは智者はしないもので、もし与えるべき物があるなら生きているうちに譲ってしまうのがよいのだ。

妙秀の生き方はまさにこの考えを実践したものであった。彼女があとに遺《のこ》したのは、妙秀のいさぎよい生き方という思想のほかにはなかった。そしてそれこそが本当の財であって、以後、彼女の思想が本阿弥の家訓となり、代々の子孫の生き方の規範となったのである。

三、省みて疚しければ已れなし

本阿弥光徳、光甫の刀を見る目

妙秀の思想がのちに本阿弥の家にどう受け継がれたかを見るために、少々寄り道をする必要がある。というのは、それは必ずしも已れ一人の簡素な生き方だけに限ったものでなく、社会生活全般の上にまで及ぶものであったからだ。

本阿弥の家は、前にも言ったとおり、足利尊氏のころから刀の目利き、研ぎ、磨きを家業として来た家柄だったが、その家業の心得の上でも妙秀や光悦の倫理観は働いているのであった。こんな話が『本阿弥行状記』にある。これは『本阿弥行状記』を書き遺した光悦の孫空中斎光甫《くうちゅうさいこうほ》(慶長六〜天和二 一六〇一〜一六八二)自身の体験談である。

光甫が江戸に滞在中のある日、松平安芸守の屋敷によばれていくと、腰の物奉行の今田四郎左衛門という人が古鞘《ふるざや》に入った錆び刀をとりだして、

「国元よりこれを代金二枚で払ってくれと頼んで来たゆえ、ほうぼうへ見せたけれども、望む者もなく、これでは買い手も見つかるまい。そなたの手でどこぞへ払ってはくれぬか。」

と頼みごとをした。

そこで光甫が刀をつくづくと見ると、銘もなく、錆《さ》びて見るかげもなくなっているものの、刀はまさしく正宗《まさむね》である。だからこう言った。

「よそへ出すにも及びませぬ。払うと仰せられるならいかほど高値《こうじき》にてもわれらが引取りましょう。が、あとで後悔めさるるな。」

するとその場に居合わせた寺西将監、浅野数馬などという重臣たちが興を持って、

「さてさて、そのほう、その刀が殊《こと》の外《ほか》気に入った顔付きであるな。してこの刀いったい何であるか。」

と口々に尋ねるので、光甫が正宗に間違いありませぬと断定すると、意外な成行きに一同は大いに驚いたのであった。武士であっても目のない者にはその錆び刀の真価を見抜くことが出来なかったのだ。

光甫はその刀をあずかって京に帰り、研ぎあげてみると刀は真価を輝かし、見れば見るほどよい刀になった。研ぎあげて一族の長の光温《こうおん》に見てもらうと、正宗という光甫の判断に間違いはなく、光温は判金二百五十枚という切紙をつけ、さらに正宗と象眼を入れた。この時代、本阿弥の鑑定はそのくらい権威があったのだ。

松平家では刀奉行が払ってくれよと言ったのだから、並の商人であればこれをもっけの幸いとして知らぬ顔で二両で買い取ったであろう。別にそれで悪事を働いたことにもなるまい。掘出し物をしただけのことだ。が、本阿弥の家では、目利きたる自分が見て正宗とわかっている物を、相手が知らぬからと言って引取るような所業を恥とした。大事なのは金儲けではない。刀の目利きにかけては自分たちこそが権威であるという誇りと自負、これが何よりも大切なのであって、金に目が昏《くら》んでこの誇りを傷つけるくらいなら死んだほうがましだ、と思っていたのだ。

先に妙秀が、小袖屋の肩衝の茶入れの件で光悦に、もしそなたがその金を拝領したならばその茶入れもすたれ、そなたは生涯茶の道をたのしむことが出来なくなろうと言ったのと同じ心掛けが、こうして本業たる刀の目利きの道にも脈々と生きていることがわかるのである。大事なのは他人の目ではなく、己れの心の律なのだ。たとえ誰ひとり知る者はなくとも、己れひとり心に省みて疾《やま》しいことをすれば、もはや己れはダメになったのだとする心持ちこそ、かれらが最も大事にしたものだったのである。露見《ばれ》なければ、法を犯してどんな汚い金でも平気で手に入れようとするような輩《やから》とは、まるで心掛けが違っていたのだ。

だから、光温の祖父の名人光徳《こうとく》のエピソードとしてこんな話が伝えられている。

光徳があるとき徳川家康にその秘蔵する正宗の脇指《わきざし》を見せられたことがあった。これは代々足利公方家の宝とされて来たもので、足利尊氏直筆《じきひつ》の添状《そえじょう》までがついており、家康のかねて自慢の品であった。ところが光徳が御前でその刀をよくよく見ると、刀は焼直し物でとうてい使い物にならない。そこで見たところを正直に申し述べると、家康はとたんに機嫌が悪くなり、なにとてさようなことを言うぞ、と心外でならぬふうであったが、光徳は重ねて言った。

「尊氏公の添状があったとて何の用にも立ちませぬ。尊氏公が刀の目利きであったという評判もなく、なにより尊氏公のころは正宗も新身《あらみ》でありました。」

そう断乎として言ってのけたので、慮外《りょがい》なやつと以後二度と光徳を召出すことはなかったというが、絶対権力者である家康の前であろうと誰の前であろうと、心にもないことを言うくらいなら死んだほうがましと、最も率直に正直に見るところを言って憚《はばか》らないのが光徳という人であったのだ。刀の目利きにかけては自分こそが天下の権威という誇りは、最高の権力者の前に出ようといささかも変らなかったのである。

『本阿弥行状記』はこのエピソードを伝えたあと、どれほど諂《へつら》いのない者であろうと、上様が御秘蔵の刀と承《うけたまわ》っているのに、しかも御前にて拝見して、何の用にも立たぬ刀でございますと答えるほど潔《いさぎよ》い人は、めったにいないであろう、と解説をつけている。

これをもって見れば本阿弥の一族にとっては何より大事なのはまず自己の自己に対する誠実であって、それを重んずるあまり社会に対する姿勢は時にこういう愚直《ぐちょく》といっていいほどの剛直さとなってあらわれたことがわかる。外に対する器用さよりは己れの心にしたがうことを行うのを恐れる、これは当時の日本社会でもずいぶん珍しい心のありようであったに違いない。

かれらが早くからこのような近代人の意識を持つことが出来たのは、この一族が代々きわめて熱烈な法華信徒であったためではないかとわたしは考えている。つまり神仏を畏《おそ》れるという垂直の内面的心棒があったために、他によってではなく自分で自分を律するというこの近代的自我を持てたのだろうと思うのだ。

この一族は足利将軍義教の時代に本阿弥清信《きよのぶ》が獄中で日親《にっしん》上人——焼《や》け鍋《なべ》を頭にかぶせられるというすさまじい拷問にも屈しなかったので鍋《なべ》かむり日親と呼ばれた傑僧だ——に帰依《きえ》して名を本光と改めて以来、代々剃髪《ていはつ》して光の字を名乗るに至ったもので、みな非常に熱烈な法華信徒であった。京の本法寺と深く結ばれ、その外護《げご》となり、のちにはみずからのうちからもそこの僧を出しているほどで、いわば本法寺を精神的支柱として生きて来たのである。光悦が家康から鷹《たか》ヶ峰《みね》の地を賜ると、そこにも常照寺、妙秀寺、光悦寺、知足庵の四寺を営んで日々の勤行《ごんぎょう》を最も熱心に行っている。神仏を深く敬っていたので、たとえ世間の目が許しても見えないその存在に対して許されぬ行為はしないという心掛けが、こういう剛直な精神を作りあげたのだと思われる。

『本阿弥行状記』は光悦の信仰についてこう言っている。


家父光悦は一生涯へつらひ候事至つて嫌ひの人にて、殊更《ことさら》日蓮宗にて信心あつく候。


さきの光徳もそうだったが、光悦もことさらに「へつらひ候事至つて嫌ひの人」と強調され、それが日蓮宗への深い信心と結びついていたというのである。

また光甫はその一族のことを全体としてこんなふうに言っている。

「本阿弥の家に智慧のある者はいなかったが、先祖に心掛けのよい者があったためか、今日まで神仏の冥加《みょうが》に適《かな》って参った。天命を恐れ、善悪の報い必ずあることを恐れるゆえに、非道を行わず、決して間違ったことをして来なかったのである。

わけても刀剣の扱いはわが家の一大事であって、その目利き穿鑿《せんさく》のきびしく厳格なことは、心に曇りあるような人には到底推量できぬくらいである。その証拠は数多くあるが、ここにいくつか例を示せば……」

と、いって先の光徳が家康秘蔵の刀をニべもなく役にも立たぬ刀と判定した話をあげているのである。

すなわち、「天命を恐れ」る心がまずあって、その見えぬ存在を恐れるゆえにわが心に叶わぬ非道は決して行わず、みずからの心の律に従って生きて来たのだ。その心持は家業たる刀の目利きにおいても同じであって、それゆえに本阿弥の目利きはよそでは考えられぬくらい厳格なのだ、というのだ。信仰が職業倫理にそのまま結びついているのである。われわれはここに近代プロテスタントのきびしい倫理観と同質の意識が、すでにこの一族のうちで形成されていた事実を知ることができる。

話はさらにまたよそ道にそれるが、わたしは先ごろフィリップ・メイソン『英国の紳士』(金谷展雄訳　晶文社)という本を読んで、そこにジェントルマンの特徴と記されているものが、この『本阿弥行状記』の記すところと共通しているのを発見して愉快を覚えた。たとえばそこには名誉心についてこうあるのである。

「名誉は紳士に欠くべからざるものであるが、ウィルにとって名誉とは、ただ世間の評判のことではなく、自尊心を——従って高潔、無欠、自足を——意味した。金は軽蔑すべきものと考えていた。それは本質的なものであるはずがない。(略) ウィルは一文なしだったが、無形の人格のほうが金より重要だと確信していた。」

ここにある名誉という考え——名誉とは自尊心のことであり、無形の人格にかかわることである——は、そのまま『本阿弥行状記』の人びとの言葉であってもおかしくない。いや、もしその時代にかれらがそういう言葉を持っていたら、かれらもまさにこの通りのことを言ったに違いないのである。

そしてそれにつけてもわたしは、現代の日本のビジネスマンが海外で「かれらは金の話しかしない、すべての価値を金で計ることしか知らない」などと評判を立てられているらしいのを、まことに残念なことと思わずにはいられないのである。紳士というものは社交の席で絶対に金銭の話なぞしないものである、それは卑《いや》しむべきことなのだとされている国で、美が問題である絵画を語ってもそれをサザビーの競売での落札価格でしか論じられない人間がいるとしたら、あまりにも情ないではないか。

日本人はかつては決してそうではなかった。かつてはかれらも人前で金銭の話をするのを卑しみ、なによりも名誉を重んじ、高潔にふるまうことを尊んだ。天下国家を論じるときは日ごろ考えることを最も率直に披露し、見識ある人物を重んじ、利得しか念頭にない者を軽蔑したと、わたしはかねがね思うものだから、こうして遠い昔の本阿弥一族の話なぞをしているのである。日本が世界に誇るべきは、この国が経済大国になったことでも、輸出大国になったことでもなく、人間としての最も大切なもの「無形の人格」にかかわる事柄であると信じるからだ。

そして現代だってこういう「目に見えぬ存在」を畏れ、みずから省みて恥じる行為はしないという己れの内なる律を持った人がいくらもいることを、わたしは知っている。日本人の全部が全部、取引きの成功とか、金儲けとか、金額と数字以外に尺度を持たぬ人間であるわけがないのである。後者ばかりが日本人の典型のように見られているとしたら、あまりにも心外だ。だからわたしはあえて光悦や妙秀を例に、そういう人間のいることを強調して来たのである。

四、三界は只心ひとつなり

人の心がゆたかであるか貧しいかは、大邸宅を営んで富貴であることでもなく、権勢を誇ることでもなく、もっぱらその人の心持の高雅であるか卑陋《ひろう》であるかによるというこの考え方は、そもそもはやはり仏教に由来するのだろう。わたしはその方面は素人でまったくの見当で言うのだが、どうもそんなふうに思われてならない。

自然のまま放っておけば、原始形態では、物を持たぬその日暮しの貧乏人よりも、家屋敷を持ち大勢の使用人を持った長者のほうが尊ばれ、人の生殺与奪の権を握った権力者が崇《あが》められるだろう。所有は多ければ多いほどよしとするのは、ごく当り前の成行きである。その自然な（この場合は原始的な）感情に対して、それ以外に人間には大事な価値があると最初に教えたのが、日本では仏教だったと思われる。

現世の価値――他人より多くの富や権力を持つ者が崇められる――に対して、目には見えないもう一つの価値の世界があるのだ、それはブッダの教える心の救済にかかわる世界である。人が真に幸福になるかならぬかは、現世での成功や失敗によってではなく、心という誰もが与えられていながら日ごろは欲望に覆われているために曇らされている、その世界にかかわることだと、形而上的《けいじじょうてき》な体系を教えたのが日本では仏教であった。

仏教は現在では見るかげもないほど堕落してしまって、葬式坊主といわれるくらい、僧侶は魂の救済能力を失った存在になってしまっているが、かつてはこれが何よりも尊ばれる人びとであった時代があった。かれらは魂の救済者だった。現世の中に彼岸の価値体系をもたらし、人に心の世界を教える使徒であった。

十世紀に源信《げんしん》という僧が著した『往生要集』にすでに、

足《た》ることを知らば貧《ひん》といへども富《ふ》と名づくべし、財ありとも欲多ければこれを貧と名づく。

という文言が見える。これは彼の説いた内のほんのカケラのカケラのような言葉だが、このような考え方があるということは、当時この教えに初めて接した人びとには目の醒《さ》めるような新鮮な発見だったろうと思う。この一言によってかれらの貧富観は革命的な衝撃を受けたにちがいないのである。

ここで日本仏教史の話をしてもしかたないし、わたしにはその資格も能力もないが、中世初めに出現した日本仏教の教祖——法然・親鸞・道元・日蓮など——の影響力の大きさは、ヨーロッパ社会におけるキリスト教のそれに匹敵すると言っても過言ではあるまい。

要するに当時の人びとはかれらによって、欲望の支配する現世の価値のほかに、もっと人間にとって大きな魂の救済にかかわる一大世界があることに目を開かれた。教義は各派それぞれに違ったが、日本人が形而上的な世界の価値を知ったのは仏教によってだった。これはまさしく精神世界の革命といっていい出来事で、中世から近世にかけての人びとは最も熱烈に、犠牲となることも怖れず、仏教を信じたのだった。

神仏と日本ではいうが、このようなある絶対的な見えぬ存在を信じ、それに対する垂直の関係を第一としたことが、大変なことだったとわたしは信じる。現代は仏教がそういう役割を完全に失い、形骸化し、それとともにふつうの生活者もこういう目に見えぬ存在を畏れる心を失った。絶対的な存在がなくなれば、法律とか評判とか、世俗の横の関係ばかりになって、内にみずから律するものを持たなくなる。

この「心」というものが信じられていた時代の、一人の知識人の生き方をよく示している古典に『方丈記』というのがある。これは鴨長明《かものちょうめい》（久寿二?～建保四 一一五五?～一二一六）という歌人が、当時の戦乱の窮乏の世の中で隠者となって世を捨てて生きた記録だが、悟道というにはほど遠いけれども、いかにも人間の本音がよくあらわれているため、のちのちまで日本人に愛読されて来た。

長明は元久元（一二〇四）年、五十歳のときに出家遁世《しゅつけとんせい》した。つまり人生五十年といわれていた時代に彼はぎりぎりの最後まで現世に執着しぬいて、それから世を捨てた。捨てたというより世からはじき出された恰好で、めんめんたる未練とうらみをもって出家した。そして山中の方丈（一丈四方の住居）に住んだときの記録が『方丈記』だけれども、彼がどうして方丈の暮しをよしとしたかを知るためにも、その一部を引いてみよう。（『方丈記　徒然草』「新日本古典文学大系」

岩波書店）

ヲホカタ、コノ所ニ住《ス》ミハジメシ時ハ、アカラサマト思《ヲモ》ヒシカドモ（ほんのしばらくと軽い気持であったが）、今《イマ》スデニ、五年《イツトセ》ヲ経《ヘ》タリ。仮《カリ》ノ菴《イホリ》モヤ、故郷《フルサト》トナリテ（次第に住みなれた故郷となって）、簷《ノキ》ニ朽葉《クチバ》フカク、土居《ツチヰ》ニ苔《コケ》ムセリ。自《ヲノ》ヅカラ（たまたま、ふとした機会に）事《コト》ノタヨリニ都《ミヤコ》ヲ聞《キ》ケバ、コノ山ニ籠《コモ》リ居《ヰ》テノチ、ヤムゴトナキ人ノカクレ給ヘルモ、アマタ聞《キ》コユ。マシテ、ソノ数《カズ》ナラヌタグヒ、尽《ツ》クシテコレヲ知《シ》ルベカラズ（全部洩れなく知ることはできない）。タビ〳〵炎上ニ滅《ホロ》ビタル家、又イクソバクゾ。タゞ、仮《カリ》ノ菴《イホリ》ノミ長閑《ノド》ケクシテ、恐《ヲソ》レナシ。ホド狭《セバ》シトイヘドモ、夜臥《ヨルフ》ス床《ユカ》アリ、昼居《ヒルヰ》ル座アリ。一身ヲヤドスニ不足ナシ。カムナ（やどかり）ハ、小《チヰ》サキ貝《カヒ》ヲコノム。コレ事知《コトシ》レルニヨリテナリ（物事の道理を知っているからだ）。雎《ミサゴ》ハ、荒磯《アライソ》ニ居《ヰ》ル。スナハチ人ヲ恐《ヲソ》ルヽガ故《ユヘ》ナリ。ワレ、マタ、カクノゴトシ。事ヲ知《シ》リ、世《ヨ》ヲ知《シ》レレバ（事の道理を知り、世の現実を知っているので）、欲《ネガ》ハズ、趨《ワシ》ラズ（世俗の名利を求めず、そのために奔走しない）。タゞ、シヅカナルヲ望《ノゾミ》トシ、ウレヘ無キヲ楽シミトス。

（略）

夫《ソレ》、三界《サンガイ》ハ只《タダ》心ヒトツナリ。心若安《モシヤス》カラズハ、象馬《ザウメ》・七珍《シチチン》モヨシナク、宮殿《クウデン》・楼閣《ロウカク》モノゾミナシ。今、サビシキ住《ス》マヒ、一間《ヒトマ》ノ菴《イホリ》、ミヅカラコレヲ愛ス。自《ヲノ》ヅカラ都《ミヤコ》ニ出《イ》デテ、身ノ乞匃《コツガイ》トナレル事ヲ恥ヅトイヘドモ、帰《カヘ》リテコヽニ居《ヲ》ル時ハ、他ノ俗塵《ゾクヂン》ニ馳《ハ》スル事ヲアハレム。若《モシ》人コノ言《イ》ヘル事ヲウタガハバ、魚《イヲ》ト鳥トノアリサマヲ見ヨ。魚ハ水ニ飽《ア》カズ。魚《イヲ》ニアラザレバソノ心ヲ知《シ》ラズ。鳥《トリ》ハ林ヲ楽《ネガ》フ。鳥ニアラザレバ其ノ心ヲ知《シ》ラズ。閑居《カンキョ》ノ気味《キビ》モ又同《ヲナ》ジ。住《ス》マズシテ誰カサトラム。

長明氏はこんなふうに、この世で一番大事なのは心が安らかであるかどうかである、もしたえず安らかならぬ心の状態なら宮殿・楼閣に住んだとて空しく、もし草庵にいても心安らかならそのほうがずっといい、と言っているのだ。語調にまだ世間への未練といった気味合いが残るとしても、方丈の住居を彼が本当に愛し満足していたのは事実だろう。

鴨長明という人は、彼もまた出家遁世したわけだが、その境界《きょうがい》はさきほど言ったように真の悟道とは言いがたかったように思われる。たとえば『徒然草』を読んでいると、そこに一人のおそろしいほどよく目の見える醒めた人物がいるのを感じるが、『方丈記』を読んでそういう感じは受けない。そこにいるのは悟道とはほど遠い、世間と人間への関心を最後まで捨て切れないでいる煩悩《ぼんのう》の人である。最後まで世の中への未練、恨み、貪婪《どんらん》な好奇心、執着を捨てきれず、捨てきれない自分に忠実に生きた人で、『方丈記』の面白さはその人間臭さによる。

長明氏が出家遁世したのは五十のとしで、これは二十三歳で世を捨てた西行、三十ごろには沙弥《しゃみ》になっていた兼好とくらべてもずいぶん遅い。遅いばかりでなくその遁世も、自分から仏道に志したためではなく、執着しぬいた世の中からはじき出されるようにして山に入ったのだ。『方

丈記』には、

——五十《イソヂ》ノ春ヲ迎《ムカ》ヘテ、家ヲ出《イデ》テ世ヲ背《ソム》ケリ。

と、あっさりきれいごとに書いてあるが、実際は年来の宿願（彼はいつかは下賀茂社の正禰宜《しょうねぎ》惣官《そうかん》になりたいと願っていた）がついに叶えられなかったので、ふくれて家に籠り、和歌所への出仕もやめ、ついに山に遁世するしかなくなったのだ。彼に好意をもつ源家長もその日記にそういう長明氏の心持を、

「こはごはしき心」

と評して、そのロバのような強情さにあきれかえり、サジを投げている。

そんなふうにして心ならずも五十歳で山中に遁世せざるを得なくなったのだが、ひとたび方丈の住居を始めるとそれを全面的に肯定し、いわば方丈の哲学といったものを作ってしまうのが鴨長明だった。己れを貫くためついに山中方丈の住居にまで自己の社会的生存形態を縮小しきって、そこでのみ、

——タヾ、仮ノ菴《イホリ》ノミ長閑《ノド》ケクシテ、恐《ヲソ》レナシ。

と安心できることを誇っている。仏法のためでもなく誰のためでもなく、すべては己れ一個のためにしたことだというのである。

——ワレ、今、身ノ為ニムスベリ。人ノ為ニツクラズ。

わたしはこういう文章を読むとそこに、この国の中世初めにすでにこれほどはっきりした自己

認識を持つ人がいたという事実に感歎せずにいられないのである。ひたすら自分のために、自分の心の満足のために生き抜き、他を省みない人物が、ここにいる。これは驚くべきことである。

これを現代のこととして言えば、会社人間としてひたすら会社のために働きつくして来た人が、社内の人事や組織と衝突して、そのままならぬことに絶望し、会社勤めのごときことに望みをかけることなく、一念発起してどこか過疎村の廃屋にでも住み、だれにも拘束されぬ自給自足の百姓生活を始めるようなものだろうか。別に仏道修行しようというのではない。ただ気ままに、己れ一人の心身の自由と安心とのために、世間一般とはちがう生活を始めるのである。そのとき果して、この長明氏のように、

——タダ、仮ノ菴ノミ長閑ケクシテ、恐レナシ。

と言い切れるかどうか。そう言い切れる人がいたら、わたしはその人を尊敬する。それこそ真に人間らしい生を選んだ人だと思うからだ。長明氏ではないが、人が幸福かどうかは外見ではわからぬ、物の見方のコペルニクス的転回さえ行えば、人に拘束されぬ山中の貧しい暮しにこそ真の平安があるかもしれないのだ。

そしてこのように、

——夫《ソレ》、三界《サンガイ》ハ只《タダ》心ヒトツナリ。

衆生が活動する全世界は「心ヒトツ」の持ちよう如何《いかん》で価値が逆転する、自分はもし安らかな心が得られないのであれば宮殿・楼閣も望まぬ、いま自分は乞食同様の身となったのであるが、

山に帰ってここにいるときは世間の人が名利の世界にあくせくしているのを憐《あわれ》む気になると、こういう価値の逆転を行わせた原動力が仏教であったわけだ。鴨長明は決して他の出家者のように仏道修行一途《いちず》の者ではなかったけれども、それでもこういう心境をたのしむことが出来た。

人間が自己をまっすぐに支えるには、こういう目に見えない存在に対する畏れを持つことが必要なのかもしれない。

昔わたしは高等学校で哲学者カントの「天にあっては星の輝き、地にあっては心の律」という言葉を知り、感激したものであったけれども、洋の東西を問わず天を畏れる心と己が心の律を守る心とは、たがいに相通じるのであろうか。

前回取上げた光悦とその母妙秀とは、熱烈な法華門徒であったが、法華宗とは限らぬ、神仏と呼ばれる存在を敬い畏れる心が、かれらに人間としての品位を与えたのだとしたら、それを失ったことが現代人を支えのない存在にしてしまったのかもしれぬという気がする。

とにかく鴨長明は、方丈という最小限の空間に住みながら、そこで音楽をたのしみ、利得にあくせく奔走しないでいられる生活を誇りとしたのだった。またその心境をよしとする人がいたからこそ、彼の『方丈記』は今日まで読みつがれて来たのであろう。こういうふうにして人から人へ目に見えない糸で伝えられて来たもの、それをもし文化の伝統というなら、その伝統をわたしは尊いものに思うのだ。

越後五合庵での良寛

五、嚢中三升の米、炉辺一束の薪

わたしはいま年を逐うごとに年々ますます良寛《りょうかん》（宝暦八〜天保二 一七五八〜一八三一）が尊ばれ好かれ愛されてゆくようなのを、現代の七不思議の一つに思っている。というのは、彼の生き方や思想は現代の大方のそれと正反対であって、それが好まれる理由がわからないからだ。良寛はなぜいま好まれるのだろう。

八〇年代後半から九〇年初めにかけてすべてバブルだったということになっているけれども、過去数年財テクなどといういやな言葉が横行し、猫も杓子《しゃくし》も株をやって財テクをしないのは人ではないような風潮があった。大新聞までが財テク欄などもうけて金儲けをけしかける有様なのを、わたしは終始にがにがしく思っていたが、あんなふうな現象が起るというのも一般に金があることだけをよしとする風があるからだろう。すべては数字ではかられ、数字であらわせぬ価値は目もかけられないのである。

そんな風潮が現代の風だとすれば、良寛はまさにそれとはまったく反対の生き方をした人で、生涯金なぞにはまるで無縁、住まうところは草庵《そうあん》で、乞食をして暮した人だ。その人がこの時代になぜもてはやされるのか不思議でならないが、あるいは時代全体があまりにも実利主義一辺倒だから、かえってその反対の清らかな生き方に憧れるのだろうか。

生涯　身を立つるに懶《ものう》く
騰々《とうとう》　天真に任《まか》す
嚢中《のうちゅう》　三升の米
炉《ろ》辺《へん》　一束《いっそく》の薪《たきぎ》
誰か問わん　迷悟《めいご》の跡《あと》
何ぞ知らん　名利《みょうり》の塵《ちり》
夜雨　草庵の裡《うち》
雙脚《そうきゃく》　等閑《とうかん》に伸ばす

良寛の代表作といわれるこの詩を口ずさんでいると、それだけでなんとなく悠々としたいい気分になってくるが、ちょっと考えてみればこんな暮しはとうていわれわれに出来るわけがないとわかる。自分は立身だの出世だの、金儲けだの栄達だの、そういうことに心を労するのがいやで、すべて天のなすままに任せて来た。いま自分には、この草庵の頭陀袋《ずだぶくろ》の中には乞食でもらって来た米が三升あるだけ、炉辺には一束の薪があるだけ。そういう極限の不安な状態にあるのだけれども、これだけあれば充分、迷いだの悟りだのということは知らん、まして名声だの利得などは問題ではない、わたしは夜の雨がしとしとと降る草庵の裡にあって、二本の脚をのどかに伸ばして満ち足りている、というのだから。

われわれにはとうていこんな心境になれるわけもなく、それに耐えきれまいが、それにもかかわらずこの詩にはみごとな一つの境界《きょうがい》が示されていて、それがわれわれをひきつけるのである。それは一体なぜか。現代の良寛流行はそのなぜかにかかっている。われわれは現代の飽食時代にいるからかえってそんな心にひかれるのだろうか。

わたしはいつかの冬、越後の国上山《くがみやま》の五合庵跡をたずね、そこに再建されている庵を見て、老杉の下に建つ一間きりの寒々とした粗末な住居に自分ならとうてい耐えられまいと思った。あまりにも簡素で、あまりにも貧しすぎるのである。そしてこういうところに粗衣粗食で暮した人はよほど精神の強靭な人だったのだろうと想像するとともに、現代文明に甘やかされたわれわれの脆弱《ぜいじゃく》さを省みずにいられなかった。

考えてみればしかしわれわれだって、いまや知る者も少ない遠い昔になってしまったが、東京はじめ日本中の都市が空襲で焼かれたあとの焼野原でこれと似たり寄ったりの生活をしていたのである。夜具とてもろくになく、食糧は配給制のまさに「嚢中《のうちゅう》三升の米」の状態で、それでも雨露をふせぐ屋根の下に住み、食うものがあることを感謝していた時期があったのだ。とすれば現在この五合庵を見て「なんという貧しさ、よくこんなところで暮せたものだ」と感じること自体、われわれが甘やかされて、いつのまにか精神が脆弱になっていることを示すものかもしれない。

そして結局われわれがそのように考えるのは、良寛のその貧寒たる生が彼自ら選んだ生の形態だったのにたいし、戦後のわれわれの窮乏状態はやむなく強いられた状態であったからであろう。われわれはあの窮乏状態からなんとか這い上ってゆたかな生活をしようとあくせく働きつづけたが、良寛においては初めから腹いっぱい食べようとか生活をゆたかにしようとか、ましてや立身出世しようというような願望はさらさらなかった。

生涯　身を立つるに懶く
騰々　天真に任す

立身出世など考えもせず万事なるがままに任せて来たのである。そしてその結果たる現在の草庵の暮しで、それに満足し、「雙脚《そうきやく》　等閑《とうかん》に伸ばす」ことができるのを、これ以上ない至福の心持でいるというのだ。

われわれには真似はできないが、しかし良寛のその心境を想像することはできる。食い物がいくらでも手に入る飽食の時代に、食があること自体をありがたがる気持は起らない。つねに飢餓《きが》すれすれの、食のないことが常態であるからこそ、三升の米のあることがありがたいのである。

暖房のきいた暖い部屋がふつうであればそれをとくにありがたく思うことはないが、寒気のきびしい外での乞食行から帰って炉《ろ》に焚《た》くべき一束の薪があれば、その暖に感謝せずにいられない。ないことが常態であるとき初めて人は物のあることに無上の満足と感謝を覚える。あるのが常ならば、ないことに不満こそ感じても、決してありがたがる心持は湧かないであろう。とすれば、身辺をつねに欠乏の状態すれすれに置くことは、それ自体が感謝をもって生きることの工夫であるかもしれないのだ。良寛が草庵の生を選んだのはそういうことであったろうとわたしは想像する。

そして現にその貧しい草庵の暮しぶりを歌った良寛の詩や和歌に、ある言いようもない優游《ゆうゆう》たる心境があらわれているから、われわれはその人にひきつけられるのだろうと思う。たんに貧しい暮しをしたというだけならば誰もその人にひきつけられはしない。

『良寛禅師奇話』という本の冒頭にこうある。

良寛禅師ハ常ニ黙々トシテ、動作《どうさ》閑雅《かんが》、余有《あまり》ルガ如シ。心広ケレバ体ユタカナリトハ、コノ事ナラン。

良寛は孤独なひとり暮しをしていたばかりでなく、生来口数少い寡黙《かもく》の人であったらしい。そこにさらに自ら選んだ内省的な生活のためいよいよ言葉は少かったが、それでいてその立居振舞にはまことに閑雅なものがあって、ゆったりと内から溢れてくるものがあるようであった。心が自由でとらわれなければ体がゆたかであるとはこれをいうのであろう、というのである。

いかにも良寛という人の人となりが目に見える思いがする。良寛の書を見てもそうだが、何にもとらわれず実にのびやかで、しかも高雅な書体であって、あれは良寛の人柄のあらわれそのままでであるのだろう。そして乞食草庵の暮しという最低限の生存の下にありながら、そういうゆったりと満ちたりた高雅な心事を保っている人だったから、彼はいまますますわれわれをひきつけるのであろう。

『良寛禅師奇話』を書き遺したのは解良栄重《けらよししげ》という人だが、この人はよほどに良寛に私淑《ししゆく》することと深かった人で、良寛という人から発する香気をよく書きとめている。

師、余ガ家ニ信宿《しんしゆく》日ヲ重《かさ》ヌ。上下自《おのずか》ラ和睦シ、和気家ニ充チ、帰去《かえりさ》ルト云《いえ》ドモ、数日ノ内《うち》、人自《おのずか》ラ和ス。師ト語ル事一夕《いつせき》スレバ、胸襟《きようきん》清キ事ヲ覚ユ。師、更ニ内外ノ経文《きようもん》ヲ説キ、善ヲ勧ムルニモアラズ、或《あるい》ハ厨下《ちゆうか》ニツキテ火ヲ焼《た》キ、或ハ正堂ニ坐禅ス。其話《そのはなし》、詩文ニワタラズ、道義ニ不及《およばず》、優游《ゆうゆう》トシテ名状スベキ事ナシ。只《ただ》道義ノ人ヲ化スルノミ。

良寛もまた解良の家に親しみ、ときに二晩どまりで泊ってゆくこともあったのだ。そのときの印象を栄重は書きとめているのだが、いかにも良寛という人から発する香気のようなものが伝ってくる文章である。

良寛がその家にいるというだけで、しかもとくに説教するのでもなく、詩や和歌の話を講釈するわけでもないのに、家の中に和気が満ちるようだった、台所に来て火を焚くのを手伝ったり、奥座敷で黙々と坐禅を組んだり、ごく自然にいつものとおりにふるまっているだけなのだが、なんでもないそのふるまいに接し、炉辺で世間話をしているだけで、胸の内が清らかになってくるようだった、というのである。

良寛とはいかにもそういう人であったのだろう。五合庵に住みこんだ乞食坊主が、ただ惨《みじ》めったらしいだけで何の魅力もない人物であったら、人びとは憐《あわれ》みはしてもこのように心から崇《あが》め親しみ尊みはしなかったはずだ。良寛がかくも人に愛されたのは、貧しい草庵暮しの乞食僧にもかかわらず、その最も簡素な生活にあってかえって常人の及ばぬ高雅な心持の、いかにもかぐわしい人柄であったからだ。

良寛は詩を作り和歌を詠む。書をよくする。しかしその詩は漢詩人の作る専門家の詩でなく、和歌は桂園流《けいえんりゅう》の常套歌《じょうとうか》ではなく、書は書家の書ではなかった。どれもが良寛の内的生活を表現するためのものであって、専門家臭は一つもない。経文にも通じているはずであるのに坊主のように経を説かず、それを知識として所有しているのではない。生活において無所有を貫くと同じく、知識の所有をもまた所有として斥け、すべてはただその行住坐臥《ぎょうじゅうざが》、日々心を新たに充実させるための手だてなのであった。

師、神気内ニ充《みち》テ秀発ス。其ノ形容、神仙ノ如シ。長大ニシテ清癯《せいく》、隆準《りゅうせつ》ニシテ鳳眼《ほうがん》、温良ニシテ厳正、一点香火ノ気ナシ。(略)今、其ノ形状ヲ追想スルニ当《あた》リ、今似タル人ヲ見ズ。鵬《ほう》斎《さい》曰ク、喜撰《きせん》以後此人ナシト。

良寛は胸中にきよらかな精気が満ちみちていて、それがおのずから溢れ外にあらわれていた。その姿形は神仙のようであった。背は高く痩せ、鼻の柱が高く、切れ長の目をしていた。温良であってしかも厳正、抹香くささがまったくなかった。いまその人となりを追想してみるに、あのような人はほかにまるで思いつかない。江戸の儒者亀田鵬斎《かめだほうさい》は、三十六歌仙の一人喜撰以後あのような人はいないと言ったが、そうであるかもしれぬ。

わたしはこれを解良栄重が敬愛のあまりに誇張して良寛を美化したとは思わない。良寛はまさにそういう人であったに違いないのである。

この栄重の証言を読むにつけてもわたしは、良寛がこのような人間になったことについてその草庵生活がどうかかわっていたか、言葉を変えれば、無所有の草庵の乞食生活なしにこのような良寛は生れなかったのではないか、という想像に駆られる。草庵生活は良寛にとって必然であり、草庵生活なしにこのような良寛が可能であったかどうか、と。

それにはその反対を思い浮かべてみるのがいいかもしれない。良寛がどこかの寺の、なんなら彼が修行した備中玉島《びっちゅうたましま》の円通寺《えんつうじ》で師の国仙和尚《こくせんおしょう》の跡を継いでいたと考えてみる。それには彼がその円通寺で作った詩を読んでみるのが一番いい。

円通寺に来ってより

幾度か冬春を経たる
衣垢《あか》づけば　聊《いささ》か自ら濯《あら》い
食尽くれば　城闉《じょういん》に出づ
門前　千家の邑《いう》
更に一人を知らず
曽《かつ》て高僧伝を読む
僧《そう》は清貧《せいひん》を可とす可《べ》し

自分がこの備中円通寺に越後を去って遠くやって来てから、幾度の春秋を経たことであろう。衣が垢じみてくればかりそめに自分で洗濯し、食うものがなくなれば巷《ちまた》へ出て托鉢《たくはつ》して来た。寺の門前には玉島の町家が百千となく連っているが、そこに住む人を自分は一人も知らない。むかし梁《りょう》の慧皎《けいこう》の著した『高僧伝』という書物を読んで、僧侶たる者はすべからく清貧であれと説かれているのを知った。自分も孤独に堪え、清貧を旨として、坐禅弁道に努めよう。

ここにうたわれた修行僧良寛の姿はずいぶん孤独な印象を与える。玉島の町に千戸の邑《ゆう》があっても自分はそれを一つも知らない。ただ寺にあって坐禅弁道にはげむのみだ、というのである。

円通寺は岡山藩主の菩提寺で、岡山の西の玉島にある。良寛が国仙和尚に参ずべくここに来たのは二十二歳のとしで、師の大忍国仙《だいにんこくせん》が遷化《せんげ》したのは良寛三十四歳のときだ。十二年間も良寛はそこで修行生活をしながら、おそらくきわめて口数の少い、人と交わらない孤独な修行をつづけていたのであろう。円通寺のころをうたったもう一つの詩に、さらにその心境が述べられている。

憶《おも》う円通の時
常に吾が道の孤なるを嘆ぜり
柴《しば》を搬《はこ》んでは　龐公《ほうこう》を懐《おも》い
碓《うす》を踏んでは　老盧《ろうろ》を思う
入室　敢えて後るるに非ず
晩参《ばんさん》　恒《つね》に徒に先んず
一たび席を散じてより
倏忽《しゅつこつ》として　三十年
山海　中州を隔て
消息　人の伝うるなし
旧を懐うて　終に涙あり
之を水の潺湲《せんかん》たるに寄す

柴を運んでは龐居士《ほうこじ》を偲び、米搗《こめつ》き台に上っては盧《ろ》行者《あんじゃ》のことを思った。師に参ずるには人に後れまいとし、晩の講義にはいつもまっさきに駆けつけた。そうやって修行一途「常に吾が道の孤なるを嘆ぜり」というのである。

この一句はふつうにとれば、禅家の常套《じょうとう》として「つねに仏道のさびれることを心配していた」ということだろうが、わたしは言葉のひびきから、そこにもっと個人的な感慨の気配が感じられるような気がする。すなわち同じ修行僧仲間の中にあってさえ良寛の行道ぶりは他と違「孤」だったのではなかったかと思うのだ。「孤」とはその修行の仕方と心持が他とはまったく異っていて、良寛はひたすら純粋な仏道修行を志していたのに対し、ほかの修行僧たちはいずれどこかの寺の住持となるために修行していたというような、その心の違いを言ったのかもしれぬ。

良寛は師の大忍国仙の死後すぐに玉島を去ってしまうのだが、良寛研究家北川省一氏の説によると、これは後継者の玄透即中《げんとうそくちゅう》が幕府の権力をかさにきて宗門改革に乗り出そうとしたのに対し良寛が反対した、そこで玄透は幕府の悪僧追放令を適用して良寛を追い出したのではないか、という。わたしにはことの是非を判断すべくもないものの、もしそういうようなことがあったとしたら、それは師の大忍国仙生存中から存在し、体制側につく玄透即中と、政治権力にかかわりなく仏道修行一本でゆく良寛とのあいだに、いま言ったような生き方の根本的な違いがあって、玄透はかねて良寛を憎んでいたのかもしれないと思うのだ。

当時円通寺には三十人に近い先輩がいたらしいが、大忍国仙にとっては末席に近い良寛こそがその中で自分の法嗣《ほっし》たるべき人物と考えていたのかもしれぬ。国仙が良寛に与えた印可の偈《げ》の文言を読むと、国仙のその気持がわかるような気がするのである。

良寛庵主に附す
良也愚の如く道転《うた》た寛《ひろ》し
騰々《とうとう》任運　誰を得てか看せしめん
為めに附す　山形の爛藤杖《らんとうじょう》
到る処　壁間に午睡《ごすい》　閑《のびや》かならん

寛政二庚戌冬　　水月老衲《ろうのう》仙大忍

柳田聖山氏はこの偈をこう訳している。

「良よ、おまえは馬鹿みたいに、ゆけばゆくほど、足の下が寛《ひろ》がりつづける、大道の子だったわい。のほほんのほんと、足にまかせてゆくおまえを、いったい誰が看視できるものか。さあ、山から切りだしたままの、このまっくろな藤の杖を授ける。これをもって何処《どこ》へなりとゆけ、何処《どこか》の岩かげででも、ぐっすり午睡《ひるね》するがよい。」

良也、というこの呼びかけの言葉からして、いかにも良寛にたいする親しみの気持が感じられるが、柳田氏はこの「良也如愚」という言い方は『論語』為政第二の、孔子《こうし》が顔回《がんかい》についていう言葉から来たのであろうと推測し、どえらい弟子がいたものよとの思いをそれによってあらわしたのだと言っている。国仙は純粋に求道《ぐどう》一筋で名利に関係のない良寛にわが道を託したのだろうと見ている。

良寛の「常に吾が道の孤なるを嘆ぜり」は、そういう自分の生き方の孤独を嘆ずる気持から出た言葉だという気がする。そういう良寛には、出家しても寺というもう一つの世間の中で名利を求めるような生き方は、端《はな》からする気もなかったし出来なかったろうと思うのだ。

六、独り奏す没絃琴

良寛、山中の沈黙行

大忍国仙の死後、寺を出て玉島を去ったあとの良寛の足跡はよくわからない。九州や四国にも渡ったことがあるともいうが、ともかく諸国の名僧智識を訪ね、自己の心境を深めるため、永い諸国行脚《あんぎや》の道についたものらしい。そのころの良寛についての信頼しうる報告が、たまたま江戸の近藤万丈《こんどうばんじょう》という国学者の手記にある。これは良寛の修行ぶりを知る上にいろいろと示唆《しさ》を与えてくれる貴重な証言だから、吉野秀雄が現代語に訳したものを以下に掲げる。(中の解説も吉野秀雄、ただ仮名遣いは改めた。)

自分の若い頃(近藤万丈の若い時分)、土佐の国へいった時、城下から三里ばかりこっちで

(これは高知の東《ひがし》三里のことであろう)、雨もひどく降り、日も暮れた。道から二丁ほど右手の山の麓《ふもと》に、みすぼらしい庵《いおり》が見えたので、そこへいって宿を乞うと、色青く顔の痩せた坊さんが(これぞ良寛である)、ひとり炉を囲んでいたが、食いものも風をふせぐ夜着も何にもないという。この坊さん、はじめに口をきいただけで、あとは一言も物をいわず、坐禅するでもなく、眠るでもなく、口のうちに念仏唱えるでもなく、こっちから話しかけてもただ微笑するばかりなので、自分はこいつぁてっきり気狂いだと思って、その夜は炉端《ろばた》にごろ寝をしたが、明け方目ざめてみると、坊さんもやはり炉端に手枕をしてぐっすり寝込んでいた。あくる朝も雨がひどくて出かけられないので、今しばらく宿を貸して下さらぬかといえば、いつまでなりともと答えてくれたのは、きのうにまさってうれしかった。巳《み》ノ刻すぎ(正午近い頃)、麦の粉を湯がいて食わせてくれた。さてその庵の中を見廻すと、ただ木仏が一躯立っているのと、窓の下に小机《こづくえ》を据えて本を二冊おいてある外は、何一つ貯えを持っている様子もない。机の上の本を何であろうかと開いてみれば、唐本の『荘子』である。その中にこの坊さんの作と思われる詩を草書で書いたのが挟んであった。自分は漢詩は習わぬので上手下手はわからぬが、その草書は目を驚かすばかり見事なものであった。そこで笈《おい》(背中に負う脚のついた箱)の中から扇子を二本取り出して、梅に鶯の絵と富士山の絵とに賛《さん》をもとめたところが、たちどころに筆を染めてくれた。その賛は忘れたが、富士の絵の賛のしまいに、「かくいう者は誰《た》ぞ。越州(越後)の産了寛(良寛の書き損じか、記憶違い)書す」とあったのを覚えている。

これは近藤万丈が相手を何者とも知らずに体験だけを書いているので、貴重な証言でもあり、また凄みがある。良寛はそのときみずからに沈黙の行を課していたのであろうが、それにしてもその暮しぶりの徹底した無一物ぶり、沈黙ぶりは凄じい。吉野秀雄はそれについてこう言っている。

「良寛は、今や肉削《そ》げ、肩ゆがみ、顔面蒼白の壮年乞食僧と化したが、しかもあくまで沈黙を守り抜こうとしている。この沈黙は無気味だ。じいんと静まり返ったこの沈黙は恐ろしい。なぜなら、彼の沈黙はおのずから彼の真理追求の難行苦行がいかに充実し、透徹していたかを現示する以外のなにものでもないからだ。」

実際そうであろうと思う。旅人の目によってちらりと垣間見られた良寛の姿は、その小さな映像を通じてその向うに当時の良寛のみずから課した修行のきびしさと、内的生活の充実を感じさせるに充分である。良寛といえども一日にして成ったのではなかった。大忍国仙に印可を授けられたあとも、ひたすらこういう己が心をのみ凝視する修行をつづけて、ようやくわれわれが見る良寛を作りあげていったのだ。外から見ればただの乞食坊主にすぎないが、内にはゆったりと清らかな水が流れ、没絃琴《ぼつげんきん》の調べに聴き入っている透徹の人に。

静夜　草庵の裏《うち》

独り奏す　没絃琴《ぼつげんきん》
調べは風雲に入りて絶え
声は流れに和して深し
洋々　渓谷《けいこく》に盈《み》ち
颯々《さつさつ》　山林を度《わた》る
耳《じ》聾漢《ろうかん》に非ざるよりは
誰か聞かん　希声《きせい》の音

何もない貧しい草庵にあって、良寛の心の中にはそういう音のない琴の音がひびき、風に飛んで消え、流れと和して妙なる諧調をなしていたのである。解良栄重のいう「神気内ニ充テ秀発ス」とは、そういう内的充実のことを言うのであろう。この没絃琴の調べは山中孤独の草庵だからひびいたのであって、大伽藍《だいがらん》に住む金襴《きんらん》の僧には決して聞えない性質の音であった。

僧になるとは、言うまでもなく世俗の社会を捨て、仏道修行に生涯をささげる生を選ぶことである。そこに俗塵《ぞくじん》の入る余地はないはずだが、法界もまた一つの人間の社会であれば、そこにも他人を出しぬいていい寺の住職になりたいとか、権勢に重んじられて権力の端に連なりたいとか、およそ仏法に反する欲望もさかんだったのだ。あるいは大方の僧がそうであったかもしれぬ。江戸時代三百年は、仏教が幕府権力に操縦され最も堕落した時代だったから、そういう徒が多かったに違いない。

その中で仏道修行を純粋に心の修行とした良寛のような修行僧は、まさに「孤」たらざるを得ず、その純粋性を貫くには寺院制度からはみ出して、どこにも所属しない「個」であるしかなかったのだろう。あるのは己れひとりの心の世界だけである。乞食の中でその心をみがいた良寛だから、いまなおその生き方がわれわれの心をひきつけてやまないのであろう。

七、数奇の心、数奇者のみが知る

鴨長明が讃えた芸道一筋の名手たち

鴨長明は五十歳のときに世を捨てて山中の方丈にわび住居したが、彼は山に入っても別にそこで坊主のように仏道修行しようとしたのではなかった。ただそういう人里離れたところに住んで、世に拘束《こうそく》されず自由に思いを養って暮そうとしただけである。だからその方丈の住居にあるものとても、弁道専心《べんどうせんしん》の人のようではなく、むしろ数奇《すき》の人の暮しぶりと言ったほうがいい。彼みずから記すところによれば、それはこうだった。

南竹《タケ》ノ簀子《スノコ》ヲ敷《シ》キ、ソノ西ニ閼伽棚《アカダナ》ヲツクリ、北ニ寄《ヨ》セテ障子（仕切りの衝立《ついたて》）ヲヘダテテ阿弥陀ノ絵像ヲ安置シ、ソバニ普賢ヲ画《カ》キ、マヘニ法花経《ホケキヤウ》ヲ置ケリ。東ノキハニ蕨《ワラビ》ノホトロ

（蕨のたけて柴などのようになったもの）ヲ敷《シ》キテ、夜《ヨル》ノ床《ユカ》トス。西南ニ竹ノ釣棚《ツリダナ》ヲカマヘテ、クロキ皮籠《カハゴ》三合（黒い革張りの竹籠三つ）ヲ置ケリ。スナハチ、和歌・管絃・往生要集ゴトキノ抄物《セウモツ》ヲ入《イ》レタリ。カタハラニ琴・琵琶各《ヲノヲノ》一張ヲ立《タ》ツ。イハユル折琴《ヲリゴト》・継琵琶《ツギビワ》、コレ也。仮《カリ》ノ菴《イホリ》ノ有様《アリヤウ》、カクノ事《ゴト》シ。

自分の草庵の住居をこのようにこと細かに報告する人というのも珍しいが、長明にはそれをちょっと自慢したい気持があったのかもしれない。仏典は法華経一巻、あとは和歌・管絃・往生要集の本ばかりで、しかも好むところの琴・琵琶までである、いわば風流人の住居である。

そして彼はここを拠点として、近くにいる山守りの子の十歳なるをともない、山歩きをしてたのしんだ。チガヤの芽穂を引き抜き、イワナシの実を採り、ヌカゴをもぎ、セリを摘み、そんなものを食料の足しにした。夜が静かなら窓の月に知友をしのび、琴をかなでたりした。孤独だが気ままな、貧しいが自由な、自分ひとりの生を送ったのだった。良寛の暮しぶりとは違うが、これも草庵の生には違いない。草庵の暮しは生の形態としては最小限のもので、不便きわまりないから、そこでの生を惨《みじ》めにするのもゆたかにするのもひとえに住む者の心の持ちようにかかっている。

鴨長明には『方丈記』のほかに『発心集』という仏教説話集があるが、そのなかには仏道への発心を語るというよりも数奇の心を讃美したような話もあって、どうもそんなところに長明氏の気持の一端がうかがわれるような気がするのである。

中に「時光《ときみつ》・茂光《しげみつ》の数奇《すき》、天聴《てんちょう》に及ぶ事」という話がある。

――なかごろ、というのは堀河院のころに、市の正《かみ》時光という笙《しょう》の名人がいた。またそのころ茂光という篳篥《ひちりき》の名手がいて、二人は気が合い、よく共に遊んでいたが、あるとき二人で碁をうったあと興にまかせて声を合せて裏頭楽《りとうらく》(唐楽の一種)という曲を合唱していたところ、それがあまりにもみごとだったので、宮中から急に時光にお召しの声がかかった。使いの者が来てその旨を伝えたけれども、二人とも音楽に熱中して聞こうともしない。原文ではそこのところを、

「御使いたりて此の由をいふに、如何にも耳にも聞入れず。只もろともにゆるぎあひて、ともかくも申さざりければ。」

とあるから、からだを揺さぶって夢中で歌いつづけていたのだ。

そこで使いの者はどうしようもなく帰ってありのままを報告し、この分ではどんなお叱りがあることかと思っていると、案に相違して、

「さても風雅なる者たちかな。それほどまでに音楽に夢中になって、すべてを忘れるばかり熱中することこそ尊いことよ。王位などとは口惜しいものじゃ。行って聞くことも出来ぬとは。」

と、涙ぐまれたので、使いの者は意外に思ったことであった。

そんなエピソードを伝えたあとで長明は、

「是等を思へば、此の世の事思ひすてむ事も、数奇はことにたよりとなりぬべし。」

と、発心にひっかけて二人の音楽好きを讃《たた》えているのだ、いかにも羨《うらやま》しそうに。

長明氏にとっては、世俗の位階やしがらみを忘れはて、帝《みかど》のお召しも耳に入らぬほど音楽に夢中になっている人の心が最も尊いものに思われ、慕わしくて書き残したのだろうし、それはまた彼自身の思いであったに違いない。自分もまた、出来ればそういう人間になりたかったのだ。

また彼は大弐資道《だいにのすけみち》という琵琶の上手の話も書いている。この人は毎日持仏堂に入っても、世間一般の人のように祈りをしないで、ただ琵琶の曲をひいて極楽に廻向《えこう》していたとその変ったふるまいを報告して、こう注解をつけている。

「中にも数奇と云ふは、人の交《まじわり》をこのまず、身のしづめるをも愁へず、花のさきちるを哀《あわれ》み、月の出入を思ふに付けて常に心をすまして、世の濁《にごり》にしまぬを事とすれば、おのづから生滅のことわりも顕《あらわ》れ、名利の余執つきぬべし。これ出離解脱の門出に侍るべし。」

数奇というのは定義しようとすれば難しいことらしいが、単純に俗心を捨てて風雅に心を遊ばせること、詩歌管絃《しいかかんげん》を好くということとするなら、それもまた名利を脱し、心を救う手だてになるというのだ。まるで長明氏が自分の好きの心、仏道専心でない中途半端な己れの心を弁護しているような気味合いがあるが、案外これが彼の本音であったかもしれない。

そういう数奇の典型的な人物として、「永秀法師《えいしゅうほうし》の数奇の事」という話がある。

「八幡別当頼清《よりきよ》が遠流《おんる》にて、永秀法師と云ふもの有りけり。家貧しくて、心すけりける。夜昼笛を吹くより外の事なし。」

頼清も永秀法師もともに「伝未詳」とあっていまでは何者かわからぬらしいが、ともかく法師でありながら笛に心を奪われていた「数奇者《すきしゃ》」がいたのだ。

この男、なにしろ夜も昼も笛を吹いてばかりいたので、隣に住んでいた者はうるさくてならぬと去ってしまい、それからは付合う人とていなくなったが一向《いっこう》に気にもしなかった。ひどく貧しい暮しをしていたけれども、物乞いなどおちぶれた行為はしなかったから、いやしむ人もさすがにいなかった。

この永秀の貧乏暮しの様子をパトロンの頼清が耳にして、あわれに思い、使いをやって、

「なぜ何も言ってこないのか。そのように困っているのであれば、縁のない人でさえ何かにつけて頼んでくるものを、そちは身寄りの者ではないか、疎《うと》くおぼされるな、頼み事があるならなんでも言ってこられよ。」

と伝えさせたところ、永秀は、

「これはこれは恐れ多いことであります。前々から申しあげようと思いながら、この身の見苦しさに、かつは怖れかつは憚《はばか》って、罷《まか》り出《いで》かねておりました。実は深くお願いしたいことがあるのです。すぐ参ってそれを申しあげましょう。」

と使いの者に言伝《ことづ》てた。

頼清は、願いとは一体何事か、よしない情をかけてうるさいことを言いかけられては困るぞと思いながらも、しかしあのような者が何を言おうと何事かあらんと構えていると、ある日の夕暮

に永秀がやって来た。早速面会して、「願いとは何事ですか」と尋ねると、永秀は言う。

「日ごろ、あさからぬ所望がございましたが、我慢しておりましたところ、さきほど仰せをうけたまわったので参上いたした次第です。」

そこで頼清がこれはきっと所領なぞ望むのであろうと思って尋ねてみると、

「こちらでは筑紫に御領を多くお持ちでございますから、あちらの漢竹《かんちく》で作った笛のよいものを一つ取りよせていただきたいのでございます。これはわが身の一番の願いでございますが、貧しい身にはとうてい手にしがたいもので、年来念じながらまだ持つことができないでいるのであります。」

と、永秀の所望はまことに意外なものであったので、あわれに覚えた頼清が答えた。

「そんな願いなぞいとたやすいことじゃ。ただちに探し求めてさし上げよう。その外に願うことはありませぬのか。月々暮してゆくのも大変でありましょうに、暮しごとで望みはありませぬか。」

「御志ありがたく存じます。しかし、さようなことは一向に気にかかりませぬ。二、三月に帷《かたびら》一つ作りさえすれば、十月まではさらに望むこともありませぬ。また朝夕の食事のことは、そのときどきのあるものにまかせ、なんとかやってゆけます。」

これこそ本当の数奇者というのであろうと、その心持が哀れにもまたありがたいものにも思われ、早速笛を探し求めて送ってやったのであった。そして永秀はそうは言っていたものの実際はひどく困っていることだろうと察して、月々の食糧や費用などこまごましたものも送ってやると、それがあるかぎりは八幡の楽人などを呼び集めて酒をのませ、日ぐらし共に楽をかなでて遊んでばかりいる。なくなるとまたただ一人で笛を吹いて明し暮している有様であった。そんなふうであったので永秀はのちに笛の功がつもって、並びない名人上手になったのである。

これなぞもずいぶんと長明氏には好ましい話であったにちがいない。このどこが一体発心とかかわるのかと疑問に思う向きもあったことだろうが、長明氏にすればこのように笛という利得とも栄達ともかかわりのない無用のわざに、ただそれが好きだという一事によってのめりこむ、寝食を忘れて夢中になるというその心根《こころね》こそが、何よりも尊いものに思われたのであろう。現在ならばおそらく芸術というだろうが、現世の栄誉利得とはなれて別乾坤《べつけんこん》に遊ぶ心は、極楽に近いと信じていたのだ。

そして現代のわれわれから見ても、音楽好きのあまり貧乏して人が何か欲しいものはないかと言われればただよき笛が欲しいと答える永秀のような人物がいたとは、思っても気持のいいことであるし、またその話をよしとしてわざわざ書きとめておいてくれた人がいたこともまことにありがたい気がするのである。ともに世間並とはだいぶ違う変り者に違いないが、それをいうなら芸術というものがそもそも現世の価値観とはまるで違った次元に成立っているものなのだ。

人は自然のままに放っておけば、物が欲しい、金が欲しい、地位が欲しいと、あればあるでさらに多い所有を求める。欲望には限りなく、権力ある者はさらに権力を、富裕なる者はさらに金銀を欲してやまない。けれども現実にある富や土地や資源には限りがあり、権力と権力とは両立しない、欲望のままに放っておいてはこの世は争いの地獄になるしかないという認識から諸悪の根源を欲望にあると見て、平安を得るためには欲望を断てと教えたのが宗教であった。

永秀の心根や動機はそれとは違っているが、音楽にのみ熱中して他の欲望を捨て去ってしまったところが、結果として仏教の道者と似ているのである。真の芸術家にはそういう人種が多い。のちの世の池大雅《いけのたいが》などもそんな、俗っ気をきれいに捨て去って絵の世界一筋に遊ぶ人だったように思われる。かれらは長明のいう「数奇」の一念によって、この世には利得や権勢と次元を異にする、もっと気持のいい、美しい、たのしい世界があることを知ったために、結果としては脱離を果したのと同じことになったのであった。

八、つきてみよ、ひふみよいむなや

子供と遊ぶ良寛の内なる世界

良寛にとっては詩や和歌を作ったり、坐禅を組んだり、仏典を読むばかりでなく、子供と遊ぶことさえもが、塵外《じんがい》の世界に遊ぶ手だてにほかならなかった。彼は詩や歌にその心持を詠んでいるが、実利一辺倒の大人から見れば「痴」に類するその遊びは、彼の内からすれば清らかな世界に躍り出る機縁であったのである。

手毬をよめる

冬ごもり　春さり来れば　飯乞《いひ》ふと　草の庵《いほり》を　立ち出でて　里にい行けば　たまほこの　道のちまたに　子どもらが　今を春べと　手毬つく　ひふみよいむな　汝《な》がつけば　吾《あ》はうたひ　吾《あ》がつけば　汝《な》はうたひ　つきて唄ひて　霞立つ　永き春日《はるひ》を　暮らしつるかも

霞立つ永き春日を子供らと手毬つきつつ今日も暮らしつ

着たきり雀の一枚の墨染の衣を着、頭陀袋《ずだぶくろ》をさげ、鉢の子を手に良寛が里に乞食に出る。野には陽炎《かげろう》が立ち、桃の花が咲き、農民ははやばやと田や畑を耕していよう。かれらから見れば良寛僧はみずから身体を労することもなく、人の汗して得た米を乞うて生存している世間無用の人である。何の役にも立たぬ存在だ。中にはそういう良寛を遊んでばかりいる物乞い坊主と嘲《あざけ》り憎《にく》む人もいたに違いない。が、大方の人はいまや良寛が何者たるかを知り、敬愛し、その姿をまた見ることが出来たのをよろこんでいる。とくに子供らは、このバカのような老僧に親しみ、彼があらわれると歓声をあげて迎え、「良寛さま、遊ぼうよ」と誘ったのである。そして良寛もその誘いに乗って、嬉々《きき》として、一切を忘れてともに毬をついて長い春の日を遊び暮したのだ。

彼にとってそのときは、傍目《はため》にはどう見えようとも、そこに生の充足があり、それこそが禅境というものであったと思われる。だから彼はその心境を何度も詩や歌に詠んだ。

この宮の森の木下《こした》に子供らとあそぶ春日になりにけらしも

この宮はどこでもいいだろうが、具体的には初めに住んだ乙子《おとご》草庵の森であろうか。その木下で待ちうける子供らと、毬つき、隠《かくれ》ん坊《ぼう》、おはじき、草相撲、なんでも一緒にして嬉戯した良寛だったのである。「春日になりにけらしも」の下の句に、雪霰《ゆきあられ》に閉じこめられていた越後の長い冬《ふゆ》籠《こも》りから解放されたよろこびがにじみ出ている。

この里に手まりつきつつ子供らと遊ぶ春日は暮れずともよし
霞立つながき春日を子供らと手毬つきつつこの日暮しつ

これらの歌について良寛を敬愛すること深かった歌人吉野秀雄は、「どれもみなほのぼのと温く、ふくよかに人を包みくる感触を受けるが、これすなわち良寛の人間的愛念の発露にほかならない。渾然《こんぜん》としていかにも良寛の作、良寛以外の誰びとの作でもないといいきることができる。」と言っている。そのとおり、まさにこれこそが良寛の世界であって、これらの歌を味わうとき、われわれの胸中に浮ぶ清らかで快い感情がすなわち良寛の世界なのであった。良寛がそれをくり返し詩や歌にうたったのは、彼にとってその心事を正しく表現しておくことが他の何に劣らぬ大事だったからだろう。

青陽（春のこと）　二月の初め
物色　稍《やや》新鮮
此の時　鉢盂《はつう》を持し
得々《とくとく》　市廛《してん》に游《あそ》ぶ
児童　忽《たちま》ち我を見
欣然《きんぜん》　相将《ひき》いて来る
我を要す（ひきとめる）　寺門の前
我を携えて歩み遅々《ちち》たり
盂《う》を白石の上に放ち
嚢《ふくろ》を緑樹の枝に掛け
此《ここ》に百草を闘《たたか》わし（草相撲をとり）
此に毬子《きゅうし》を打つ
我　打てば　渠《かれ》　且《かつ》歌い
我　歌えば　彼　之《これ》を打つ

打ち去り　又打ち来って
時刻の移るを知らず
行人《こうじん》　我を顧みて咲《わら》い
何に因《よ》ってか其れ斯《かく》の如きと
頭《こうべ》を低《た》れて伊《これ》に応《こた》えず
道《い》い得ても也《また》何ぞ似ん
箇中《こちゅう》の意を知らんと要《もと》むるも
元来　祇《ただ》　這是《これこれ》のみ

この詩は良寛の詩の中でもとくに楽しげで、春を迎え子供と遊ぶよろこびが軽快なリズムでうたわれている。良寛を見かけて駆けよってくる子供らと、その誘いに乗って嬉々として共に遊ぶ良寛と、その嬉戯のさまが目に見えるようである。ただこの詩が長歌と違うのは最後の六行があることである。

行人というのは仕事を終えて帰る農民であろうか。かねて良寛の子供らと遊びたわむれてばかりいるのを苦々しく見ていた人があえて良寛に問うのだ、おまえさまは一体どんな根性でそんなことをしてそうやって遊び呆けていなさるのかね、と。それに対し良寛が何一つ弁明をせず、申しわけなさそうにただ頭を垂れて黙っているのみというのがいい。言ったところで理解してもらえる事柄ではないのだ。言葉であらわせるものでもない。これはただわかる者だけにわかる、そういう性質のことなのだから、というのである。

悟りをひらいた者にしか悟者の心事はわからぬというのと同じなのであろう。

あえてその良寛の心の奥を問うてみるならば、彼はただ「這是《これこれ》のみ」と言うしかなかった。別の「毬子」という詩にはこうある。

毬子

袖裏《しゆうり》の（袖の中の）繡毬《しゆうきゆう》　直《あたい》千金

謂《おも》う　言《われ》は好手《こうしゆ》、等匹《とうひつ》なし（自分は毬を打つ名手で相手になる者がない）と

箇中の意旨《いし》　もし相問わば

一二三四五六七《ひふみよいむな》

ここでも、毬を打ってたのしむ自分の心中を尋ねられれば、自分はただ「一二三四五六七」と答えるしかないというのだ。それはどういうことかとさらに問うたとき、良寛は貞心尼に答えている。

貞心尼は良寛の晩年の生を彩《いろど》る女性だが、賢い人で、良寛における毬つきをこう歌によんだ。

「師、常に手まりをもて遊び給ふとききて奉るとて、『これぞこの仏の道に遊びつつつくやつき

せぬみ法《のり》なるらむ』貞心尼」

それに対する良寛の返しが、

つきてみよひふみよいむなやここのとを十《とを》とをさめてまたはじまるを

なのである。

理屈を言わずにともかくあなたも毬をついてみなさるがいい、ひふみよいむなやここのとを十、とついて収め、また新たにひふみよと始める、その無限の繰返しこそ人生そのものであり、仏の道というものがあるならその中にしかないことがわかるでありましょう、という。

われわれはここであの解良栄重《けらよししげ》の記した「師、更ニ内外ノ経文ヲ説キ、善ヲ勧ムルニモアラズ(略)、只道義ノ人ヲ化スルノミ。」という言葉を思いだす。言葉ではなく身をもって示すだけであり、それだけが人から人に伝わるのだと信じていた人にとって、咎《とが》めだてする人には「頭を低《た》れて」黙すのみ、わかろうとする人には「つきてみよ」とやさしく答えるだけだったのだ。

この話はまた良寛の五合庵時代のエピソードを思いださせる。吉野秀雄が記すところをそのままここに記してみると、

「良寛の生家の相続人泰樹《やすき》、――これは由之《ゆうし》の長子の、別名馬之助で、即ち良寛の甥《おい》であるが、――その泰樹が放蕩に身をもちくずしたので、その母の安子に頼まれて良寛が意見をしに出かけ

たことがあった。しかし彼は三晩も泊ったけれど、一向口をきかない。そしてそのままいとまを告げてしまう段になって、立ち際に泰樹を呼んで草鞋《わらじ》の紐を結んでくれと言いつけた。安子はここで何か良寛の訓戒があるのかと、衝立《ついたて》の蔭で様子をうかがっていた。泰樹は、今日に限って伯父が妙なことを仰せられると思ったが、言いつけられた通り、良寛の草鞋の紐を結んだ。するとその襟元に冷たいものがぽとりと落ちた。泰樹がびっくりして見上げると、良寛が涙の目をしばたたいて自分を見つめている。泰樹ははっと感じ入った。良寛はやおら身を起し、無言のまま立ち去った。――と、こういうのである。口碑《こうひ》といっても、わたしはこれを軽んじない。」

いかにも良寛という人の姿の彷彿《ほうふつ》とするようなエピソードで、事実そうであったろうと思われる。わたしもこの口碑を軽んじない。良寛は決して説教などせず、「只道義ノ人ヲ化スルノミ」の人であったのだ。

良寛がいまだに人をひきつけてやまないのは、詩や和歌や伝承の中からおのずとあらわれるそういう人柄のまことに気持がいいためだと思う。こういう人はほかにはいない。そもそも良寛には所有するものなど何もないのだ。地位も富も権力も、およそ世間で重んじられるものなど何一つ持たない、彼はただの乞食坊主である。他人のお情けによって辛《かろ》うじて生きている役立たずだ。あるのはただ良寛という人間がそこにあるにすぎない。おそらく人間がこれほどまでに純粋にただの人間であることは出来ないだろうと思われる、そこのところに無一物の良寛がいて、その人柄がなんともこちらの気持をよくする。浄《きよ》らかで、高雅なものにする。それは彼の詩や和歌によってしかその人を察することのできぬ現代のわれわれをもとらえるから、良寛は今も多くの人に愛されるのだろう。

九、書画に一点の塵気なし

池大雅の暮しと人となり

若いころだったらわたしはこういう話にさほど心を動かされることもなかったろう。事実わたしは四十ごろまでは良寛にも『方丈記』にも『徒然草』にも関心を持つことなく、みな黴《かび》くさい昔者《むかしもの》の話と見做《みな》して、もっぱらヨーロッパの最新の文学にのみ興味をよせていたのだった。たまにそういうものを、たとえば『近世畸人伝』のごときものを読んでも、そこに記されているのがいわゆる「いい話」ばかりであるのに退屈して放り出してしまうのがつねだった。

しかしいまわたしはこの国の随筆や逸話集が著者のいいと思う人物たちの話に終始していることを、いかにもそうあるべきことと共感しているのである。伝え聞いた古人のエピソードのうち心に残ったものばかりを記しとめておく。そういう逸話を集めて一冊にまとめておくことでかれらはいわば自分が好ましいと思う人間の生き方のモデルを作ったのだ、とわたしは考えるようになった。文化の伝統というものはこんなふうにして伝えられて来たのだな、と思うのである。自分にはとうていその真似は出来ないが、人間はこうあってほしいものだという願望を、かれらはそういう逸話集にこめて書き残したのであろうと、その志をありがたく感じるのである。そして昨今のつまらぬ小説を読むよりもそういう昔の逸話集を読むほうがずっとたのしいのだ。

たとえば、昔はただ古臭いとしか思わなかった伴蒿蹊《ばんこうけい》の『近世畸人伝』中の池大雅《いけのたいが》(享保八〜一七二三〜安永五一七七六)の項なぞ読むと、ただその逸事を知るだけでも心たのしくなってくる。たとえばこんな話。

中にも奇なるは、石刻《せきこく》の十三経《じゅうさんぎょう》を得んとて年比《としごろ》心にかけしかば、たくはふる所の銭百貫に及べりしに、書賈《しょこ》なほ售《うら》ず、嘆息して其銭を祇園《ぎおん》の社に奉納す。時に御社修造のことあればなり。其時のさま、わらむしろの大なる袋に巴《ともえ》を書き、(神輿の紋なり)、拾貫文づヽ拾にして、門人とともに礼服を著し、青竹の棒もてさし荷《にな》へり。社司其名を掲《かかげ》んとせしを固く辞す。されど誰となくてはあるべからずとて、玉瀾《ぎょくらん》としるせりき。

石刻の十三経というものがどんなものかわたしにはわからないが、とにかく本屋でその本を見つけ、大いに気に入ったものの高くて買えない。そこで貧乏暮しの中からなんとか言い値の百貫文を貯えていざ買いに行ったところ、本屋はそれでも売らなかった。一本には大雅が買いに行ったときには一足違いで売れてしまっていたとあり、そのほうが本当かもしれない。が、それからが大雅らしいところで、本を買うために貯えた金であるからそれがかなえられなければ百貫の銭なぞには用はないと、さっさと祇園社に献じてしまったというのだ。ムシロに巴の模様を書き、一つ袋に拾貫文ずつ入れたのを十個門人とかついでいって、名も名乗らずに寄付したというのもいい。

その話を記した『近世畸人伝』には挿絵がついていて、紙のちらかった部屋の中でよれよれの着物を着た男が三味線のようなものを弾き、奥で細君が琴でそれにあわせている図が描いてある。大雅と妻の玉瀾《ぎょくらん》（?～天明四 ?～一七八四）とが貧乏暮しの中でも合奏してたのしんでいる図であろうが、これも見ていて気持がいい。近ごろわたしはそういうものに気をひかれるのである。

大雅の画技は若いころからすぐれていたが、世に知られることなく、長いこと貧乏暮しがつづいた。が、本人も妻の玉瀾もひたすら画境を深めることに専念し、身の貧なことなど少しも気にしなかった。およそ貪欲とか慳貪の反対の人で、金銭には恬淡無欲《てんたんむよく》、生涯貧しい暮しの中で絵画の世界に遊んだ。その人となりは生存中から人びとの讃歎するところであったらしく、多くの人が池大雅のエピソードを記しておいたようである。

わたしが池大雅について初めに知ったのは森銑三《もりせんぞう》の『池大雅』『池大雅家譜』など一連の大雅について書いた文章によってだが、森銑三もまた江戸以来の風雅の道を継いだ人で、

「近世期の人物中特に好ましく思つてゐる大雅堂池無名について、一文を草する機会を得たことを私は愉悦とする。」

と、まず言ってから、それら大雅について書かれた文章を集めているのである。その気持がう

れしい。で、以下はその森銑三の集めた逸話を孫引きで紹介するのだが、泉下《せんか》の森氏が寛恕《かんじょ》せられることを望んでいる。

初めに東洋、氏は東、名は洋という仙台の絵描きの話が載せてある。東洋は若くて十九、大雅は死の三年前のころの話である。

大雅兼《かね》て質素にして飾を不求《もとめざる》ゆへ、費《ついえ》少く暮せり。或時《あるとき》祇園の葺修《ふしゅう》のことありて、門前の人人その分限《ぶんげん》に応じ其《その》費用を出さしむ。大雅もとより貧《まずし》きさまなれば、三百銭をあてり。大雅、妻とはかりて云《いう》、ともに茶又は書画を以て若干の銭を得て、傍なる押入に銭満《みつ》るといへども是を用《もちい》る急なし。用ること無《なく》して蔵して置くも無益なれば、祇園の祠へ奉るに如《し》かずと、是を改るに銭三百貫余なり。夫婦怡《よろこ》びて、自ら背負ひて奉る。人々奇とせざるはなし。

さきの『近世畸人伝』の逸話と重なるところがあり、逸話というものは人の口から口へ伝えられるうち変型してしまうことの見本のような話だが、大雅と玉瀾との無欲なさまは充分にうかがえる。晩年になると大雅でも銭には困らなくなっていたのだろうが、収入が多くなっても暮しぶりと、金銭を見ること恬淡たることは少しも変らなかったのだ。明和のころは銭五貫文が金一両に値したというから、三百貫といえば六十両（現在でいえば六百万円くらいか）の大金である。そんな大金がいつの間にか押入の中にたまっていたのに気づいて、祇園社がわり当てて来たのは三百文だったけれども、押入にあるだけ全部背負っていって、きれいに寄付してしまったのである。

そのころでもしかし二人は粗末で小さな家に住んでいたらしく、東洋が初めて訪れたときに見ると、八、九畳ほどの部屋に紙や絹が散らかり放題散らかっていて、それらをかきわけてでなければ坐れぬほどであった。大雅も玉瀾も腰に銭四、五十文を挟んだままなので、東洋が怪《あや》しんで尋ねると、日用の物を買ったり、乞食に与えるため、いつもこうやっておくのだという。夫婦ともまったく物にこだわらなかったのがこのことからもうかがえる。

森銑三氏の古書探索の精緻なことはかねて知っていたが、大雅のように気に入った人物のこととなるとその博捜《はくそう》ぶりは実に徹底していて、こんなふうにありとあらゆるところから大雅のエピソードを集めているのに驚かされる。水戸の岡野《おかの》行従《ゆきより》、号逢原《ほうげん》という人の『逢原紀聞』という本にはこうあるそうである。

大雅嘗《かつ》て淀侯《よどこう》の金屏風を書きけり。謝礼として使者来《きた》りけるに、台所の入口より反古《ほご》書物など取り散らしおきて、更に上《あが》り所《どころ》なし。反古を片寄せ、使者を通しけるに、謝儀《しやぎ》として三十金を給ふ。大雅礼を述べて、その包のまゝ床の上へおきたり。その夜、盗《ぬすっと》、床の側の壁を切抜きて、包み金を持去れり。翌朝、妻玉瀾、壁を切抜きたるを見て、定めて盗の仕業ならん、昨日淀侯より給はりたる金はいづくへおき給ふやといふ。大雅更に驚く気色なく、床の上へおきたり。なくば盗の持去りたるならんといふ。門人ども来《きた》り、この体を見て、先生何故にこの様に壁を切抜き給ふやといへば、昨夜盗入りて、淀侯より謝儀に貰ひたる金子を持去りたるぞなどいふ。門人の曰く、壁あの通《とおり》にて見苦し。繕《つくろ》ひ給へといへば、却《かえ》つて幸なり。時今夏日《じこんかじつ》、涼風を引くによし。また夜中小用に出るに戸を披《ひら》くの愁《うれい》なしといひしとぞ。

これまた大雅の暮しぶりと、金銭に恬淡たることを示すエピソードだが、玉瀾がそのことでギャーギャー騒ぎたてるような人だったら話にはならない。これだけではない。大雅についてこの手の話には事欠かないのである。

大雅は書画の謝儀を得れば、扇を開き出して受収《じゅしゅう》して、封も切らず、手をつけずに傍《かたわら》の箱の内に打込めり。員数を見れば多少の慾心出でて悪《あ》しといひしとなり。書画はわが天より授《さずか》りたる賜物《たまもの》なれば、貰ひたるを米味噌の料にすべしとて、米味噌などの掛取《かけとり》に来る者へは傍の箱を渡し、この内に天より給ひたる品あれば取りて行くべしといへば、商人箱を開きて金銭を出し、勘定して去る。また溜りたる頃取りに来るべしといひしとぞ。かくの如くにして、金銭を手に取りしことなしといへり。

別の本にもこれと同じ話が載っているそうだから、事実そんなふうにしていたに違いない。本阿弥光悦が生涯に金銀を手にしたことがなかった、家には秤《はかり》や算盤《そろばん》のたぐいを置いたことがなかったということを思い出させる話である。

池大雅がどのような人であったかは、以上のいくつかの逸話をもってしても知られる。彼もまたあの鴨長明が『発心集』に記した永秀法師や時光・茂光と同じく、絵画という別次元の世界に遊ぶことをのみ無上のたのしみとした人びとの系譜に連なる人だったのだ。絵をもって金儲けをしようとか、世俗に名を売ろうなどという気はまったくなかったのである。自分の書画のわざは天の与えた賜ものである。欲があってはその世界が汚れると信じていたのだ。そしてこういう人であったことをありがたく思う人びとがいたから、かれらは好んでその逸事と人柄とを後の世に伝え、それらが集って日本文化の綿々と尽きぬ一つの流れになっていったのである。

しかし大雅がただそういう清貧の暮しを愛したというだけでは、大雅について何も語ったことにならない。そういう欲得から離脱した生き方が彼の芸術にどのようにあらわれたかを見なければ、大雅は大雅とならない。

池大雅の書画については大雅と交際のあった清田《せいた》儋叟《せんそう》の随筆『孔雀楼筆記』の所載が、一言にしてその特徴を語っている。

「名の実に称《かな》へるは大雅堂なるべし。駔《そ》儈《かい》の風（すあい。仲買人。当代の一般画家の商人根性を言ったもの）、軽薄の習、露ばかりもなし。（略）大雅が書画は逸品に入るべし。畢竟《ひっきょう》一点の俗悪の気なし。」

森銑三はこの清田儋叟について、

「儋叟がまた人格の士で、儋叟を通して大雅を知ることの出来る点に特別の興趣がある。」

と言っている。

まさに人、人を知るというか、こういう同時代人の証言はうれしくなる。ここに画の実物のないのが残念だが、実際いまわれわれが大雅の画集を見てもそこに「一点の俗悪の気なし」で、彼が何よりもその心事と画業において、いかに高い境地にいたかがよくわかるのである。見ていて実に気持がよく、大雅の絵は文人画の中にあってもとくに高雅、まさに塵外の世界に遊ぶものばかりだと言ってよい。

みずからも優れた画を描いた田能村竹田《たのむらちくでん》の画論『山中人饒舌』の記すところが、もう一つ江戸期を通じての大雅評を代表するものであろう。

「大雅池翁の書画倶《とも》に高くして時眼《じがん》に入らず（当時の世俗の人の目に入らない。それくらい彼の書画は品格高く、時流を超越していた）。没後に至りて声名隆起し、知ると知らざるとなく、推して第一手となす。夫《そ》れ山は美玉を蔵して草木沢《たく》し（つやがある）、水は明珠《めいしゅ》を蓄へて沙石《させき》光る。実ある者（実力のある者）の掩《おお》ふべからざるや此《かく》の如し。豈《あに》唯画のみならんや。」

大雅が同時代の人にそれほど認められなかったのかどうか、わたしには判断するすべがないが、没後になってにわかにもてはやされるようになったとは、あの生前はまったく評価されなかったゴッホの運命に似ている。が、ゴッホの生涯にどこか悲劇性がともなうのに対し、大雅にそれがぜんぜん感じられないのは、認められなくとも貧しくともそんなことに頓着《とんじゃく》せず、ただ画を描くことをたのしみとしたその人柄によるものかもしれない。

が、いずれにしろ、絵画の評価にきわめてきびしかった当時の第一流の美術批評家田能村竹田の評価、清田儋叟の断言は、池大雅の書と画がそのころの文人たちにいかに高く評価されていたかを示すだろう。画の技がいかに優れていても、そこに一点の邪気が漂っていれば、こういう人たちがこれほど賞賛しはしなかったろうから。

森銑三氏はまた、村瀬《むらせ》栲亭《こうてい》という人の文章の中にも大雅にふれたものがいくつかあると、その文を引いている。それを現代文に訳してみる。

「自分はかつてこう思ったことがある。画が巧みであっても品格が卑しければ、庸品《ようひん》といって差支えない、と。その理由は、巧拙《こうせつ》は技倆《ぎりょう》の精粗《せいそ》にあるが、品格はその人にあるからである。だから昔から絵に奇な者は、その行いもまた必ず奇であった。（略）近ごろ絵画の技の巧みさはほとんど古に迫ると言ってよい。が、品格を論ずるならば、品格のある者のなんと少いことか。与謝《よさの》蕪村《ぶそん》はたしかに気韻研秀《きいんけんしゅう》である。しかし縦横《じゅうおう》の習気《しゅうき》を脱尽《だつじん》した者をあげるなら、ただ池大雅ひとりである。自分は若いころから大雅その人を知っていたが、彼は蓬髪垢衣《ほうはつこうい》、謙虚で物に逆《さから》わず、しかもその為すところはことごとに人の意表に出るものであった。」

また栲亭はこうも言っている。

「近ごろ書画をよくする者は無慮数十家に及ぶ。が、その中で、絵の巧拙は論じないとして、その颯々《さつさつ》として出塵《しゆつじん》の思ある者は、ただ池大雅その人のみ。自分はかつてその人を知り、かつてその行うところを聞くに、まことに古代逸民《こだいいつみん》の風があった。彼が筆を下すに描くところ塵気がまったくなかったのも尤《もつと》もである。」

これもまた生前の池大雅を知る人の証言であって、もって大雅の高雅脱俗の人となりを知るに足る。文人画は精神のそのままあらわれるものであったから、技術がいかな達者でも俗気があれば、画にそれが出たのだ。その点、大雅は画技よりも何よりも先に、心事そのものに高雅な品があったのであろう。別の人はまた大雅を「天資灑落《てんしれいらく》、世故にかかわらずして物外に超然、その画品が神妙なのも当然であった」と言っている。

明和七年のことというから大雅四十八歳のとしのことだ、二月に木村兼葭堂《きむらけんかどう》が大坂で書画会を催したときの逸話が伝えられている。兼葭堂主催の大書画会であるから京大坂の名士が多く集ったし、会の通知はむろん大雅にも届けられた。が、あいにくその日、大雅は江州三井寺の円満院宮に召されて出掛けていて留守で、帰宅したときは夜になっていた。玉瀾が早速右の通知を見せると、大雅はその足で大坂へとび立っていった。が、あまりあわてたため筆箱を忘れてしまった。玉瀾が気づいて急いであとを追っかけ、ようやく伏見稲荷《ふしみいなり》のあたりで追いついて筆箱を渡すと、大雅は、「これはどなたさまか存じませぬが、大きにお世話さまでございます」と言い、玉瀾も何も言わずに帰って来たというのである。

これなどもいかにもこの夫婦の人となりをよく示すエピソードで、気持のいい話だ。

十、月天心貧しき町を通りけり

桃源郷に心を遊ばせる与謝蕪村

池大雅についての逸話はきりもないが、このように大雅のふるまいについてこまかに記録されていたのは、それを奇とし、そこにあらわれた心事を尊ぶ人が多かったからであろう。文人とはこうあってほしいものだという人びとの願いが、大雅においてみごとに体現されているとかれらは見たのだ。そしてこういう話が増幅して後世に伝えられていって、離俗《りぞく》、清貧、名利に恬淡《てんたん》、芸道一途で塵外《じんがい》に遊ぶ人というこの国での文人の理想像が作られていったのだと思う。

その中でもわけても離俗ということは、俳諧や絵画において最も重視されたところで、絵の技巧がどんなに巧みでもそこに俗っ気があればその絵は卑《いや》しまれたのであった。

池大雅を初め文人画の画家たちが必ず学んだ『芥子園画伝《かいしえんがでん》』に、

「寧《むし》ろ覇気《はき》あるも市気あるなかれ、市なれば則ち俗多し。」

とある。俗とは市気、すなわち利得をはかる商人的な気持から生じるのであり、利害得失をはかる心持があるかぎり気韻《きいん》ある絵は出来ないというのだ。これはおそらく東洋独特の芸術観かと思われるが、絵画を精神のあらわれと見るのである。

もっとも、なにも東洋だけではない、芸術に打ちこむ者に利得の心があっては本物の芸術が出来るわけはないのであって、ゴッホはおよそ生前に認められず絵は売れず孤立しながら、これこそわが信ずる美と思うものを描きつづけた。昨今の高い値で売れる画家ほどすぐれているとするような低次元の話ではないのである。

与謝蕪村《よさのぶそん》（享保一～天明三 一七一六～一七八三）は芭蕉なきあとの俳諧という文学の第一人者であり、画家でもあったが、彼もまた大雅と同じく絵でも俳諧でも最も離俗に心を用いた人であった。「十便十宜図《じゅうべんじゅうぎず》」というものがあって、大雅がそのうち「十便図」を、蕪村が「十宜図」を描いている。ともに画法といいテーマといい、まことに高雅なもので、二人には相通じるものがある。彼はその「取句法」の中でこう言っている。漢文を読み下して写すと、

俳諧ノ大道ヲ知ルコト他ナシ。月ニ嘯《ウソブ》キ花ヲ賞デ、心ヲ塵寰《ジンカン》ノ外ニ遊バシメ、常ニ蕪翁《ブオウ》・其嵐《キラン》ノ流亜《リュウア》ヲ友トシ、専《モッパ》ラ俗気ヲ脱スルヲ以テ最ト為ス。

俳諧の技術を学ぶ前にまず俳諧の心を知れというのである。そして俳諧の心とは何よりもまず「俗気ヲ脱スル」ことだというのだ。そしてさらにその心持を「春泥句集序」でくわしくこう述べている。

其角《きかく》を尋ね嵐雪《らんせつ》を訪ひ、素堂《そどう》を倡《とな》ひ鬼貫《おにつら》に伴ふ。日々此四老に会して、はつかに市城名利の域を離れ、林園に遊び山水にうたげし、酒を酌《くみ》て談笑し、句を得ることは専ラ不用意を貴ぶ。

如レ此《かくのごとく》する事日々、或日又四老に会す、幽賞雅懐《ゆうしょうがかい》はじめのごとし。眼を閉《とじ》て苦吟し、句を得て眼を開く。忽《たちまち》四老の所在を失す。しらずいづれのところに仙化《せんげ》し去るや、恍《こう》として一人自《みずから》イム《たたず》。時に花香風に和し、月光水に浮ぶ。是《これ》子が俳諧の郷也。

其角や嵐雪、素堂や鬼貫をいつも心に念じながら、名利の地を離れて山水に遊ぶ。そのとき句を得て目をあければ四老はなく、自分ひとりがそこにイ《たたず》んでいる。花の香が風にはこばれ、月光が水に浮び、まことに桃源郷にいる心持だ。かくのごときが自分の俳諧というものである、というのだ。蕪村がふだんから自己の心を俗塵の外に遊ばせるのに、どのような気の工夫をしていたかがよくわかる話である。

俗を去るということがこの時代の芸術で最も重んじられたのだ。

大雅や蕪村の時代に最もよく読まれた画論は田能村竹田の『山中人饒舌』だったようだが、竹田がそこに説くところ、重んずるところも脱俗であり、脱俗による気韻生動であった。彼が最も高く評したのは大雅と玉堂だったが、それは二人において俗気がないからであって、彼はこう言っている。

「徂徠《そらい》（荻生徂徠）、東涯《とうがい》（伊藤東涯）、雪山（北島雪山）、広沢《こうたく》（細井広沢）諸公の字、今人竟《つい》に作る能はず。百川《ひゃくせん》、淇園《きえん》、大雅、蕪邨《ぶそん》諸老の画、今人又写す能はず。其の故何ぞや。蓋《けだ》し市気《しき》然らしむるのみ。」

つまり市気、商売っ気から離れられないからかれらのような高い境地を表現することが出来ないのだという。世間にもてはやされるような画を描こう、画で名を挙げようなどという、他におもねる心があっては画が卑《いや》しくなる。みずからが美と信ずるところに従ってそれを行う勇気がないから、今の画は古に及ばない。今は技術はますます巧みであって、しかもますます卑俗になるばかりである。それはなぜかといえば、

「他無し。古の学者は己れの為めにし、今の学者は人の為めにす。」

昔の絵や書を学ぶ者は、みずからの美と信ずるところを究めるために、他を顧みず修業したが、今の学ぶ者は人に気に入られるため、自分の才を人に見せびらかし沽《う》りつけようとして学ぶからだ、と言っている。そして竹田はまたあるとき自分の描いた絵にこう賛をしたという。

「我ガ画ハ自ラ娯シムニ在リ、人ヲシテ娯シマシムルニ在ラズ。」

と。

蕪村は明和七年(大雅が玉瀾に筆墨を届けられ、「大きにお世話さま」と言った年だ)五十五歳という当時としては異例に遅い年齢で初めて宗匠の位置を得たが、欲すればとうにそうなれたのにその歳までならなかったのは、元来そんな世間的名声を得ようとする俗気がなかったからだった。が、ひとたび文台《ぶんだい》の主となってもその門を訪れる者は少かった。蕪村の没後その弟子が師を悼《いた》んだ文章にはこうある。

「むかし翁生業を平安の地に創起する時、人或は誦せざるをもていまだ信ずる事あたはず。其意《その》

趣高妙なるがゆへに、其門《その》に入るものその意に達せずして師に悖《もと》る。翁、謝して曰《いわく》、履戸《りこ》に満つとも何の益ぞ、閉戸して自ら眩むと。」

これもまた田能村竹田の「自ラ娯シム」心境と同じだったことがわかる。蕪村はあくまで孤高を持し、真に自分の道を理解してくれる少数の人があればよしとしたのだ。蕪村が大雅の「十便図」にたいし「十宜図」を描いたのは明和八（一七七一）年だった。

不二ひとつ埋《うづ》みのこして若葉哉
春の夜や宵あけぼのゝ其中《そのなか》に
牡丹散《ちり》て打《うち》かさなりぬ二三片《べん》

こういう蕪村独自の絵画的な俳諧が生れたのもこのころであった。「俳諧は俗語を用《もちい》て俗を離るゝを尚《とうと》ぶ、俗を離れて俗を用ゆ、離俗ノ法最《もっとも》かたし。」と「春泥句集序」にいうその詩論は、こういう句となって姿をあらわしたのだ。

遅き日のつもりて遠き昔かな

近代日本の代表的詩人萩原朔太郎はこの句について、「この句の咏嘆しているものは、時間の

遠い彼岸《ひがん》における、心の故郷に対する追懐」であると言っている（『与謝蕪村―郷愁の詩人』）。また蕪村の代表作の一つ、

愁《うれ》ひつつ丘に登れば花茨《はないばら》

については、『愁ひつつ』という言葉に、無限の詩情がふくまれている。無論現実的の憂愁ではなく、青空に漂う雲のような、または何かの旅愁のような、遠い眺望への視野を持った、心の茫漠《ぼうばく》とした愁《うれい》である」と言う。

現実の景をうたいながら心は遠く俗を離れた桃源郷に遊ぶその心境に、近代の詩人朔太郎は「時間の遠い彼岸」を感じ、「心の茫漠とした愁」を感じとっているのだ。

月天心《つきてんしん》貧しき町を通りけり

この句についての朔太郎の鑑賞は、中でもとくに印象深いものがある。

「月が天心（空のまんなか）にかかっているのは、夜が既に遅く更《ふ》けたのである。人気《ひとけ》のない深夜の町を、ひとり足音高く通って行く。町の両側には、家並《やなみ》の低い貧しい家が、暗く戸を閉《とざ》して眠っている。空には中秋《ちゅうしゅう》の月が冴《さ》えて、氷のような月光が独り地上を照らしている。ここに考え

ることは人生への或る涙ぐましい思慕の情と、或るやるせない寂寥《せきりょう》とである。月光の下《もと》、ひとり深夜の裏町を通る人は、だれしも皆こうした詩情に浸るであろう。しかも人々はいまだかつてこの情景を捉《とら》え表現し得なかった。蕪村の俳句は、最も短かい詩形において、よくこの深遠な詩情を捉え、簡単にして複雑に成功している。実に名句と言うべきである。」

句を解して蕪村の心に及び、まことにゆきとどいた解というべきだろう。朔太郎の解を得てわれわれもじかに蕪村の詩境を味わう気がする。

この「貧しき町」を蕪村は天の高みから見下しているのではない。彼自身が身は「貧しい町」に住んでいて（俗の中にあって）、しかも心では天空に澄む月とともにそれを眺めているのである。彼のいう「離俗」とはそういうものだったのだ。

十一、大隠は朝市に隠る

蕪村、市井に住むことこそ己れの風流

蕪村の画でわたしが最も好むのは「夜色楼台雪万家の図《やしょくろうだいのゆきばんかのず》」という、雪景色を描いたものだ。横長の画面の下方に平たい家々がずらっと、どれも雪をかぶって浮んでいる画である。中央に二軒ほど楼というほどに大きな家が窓を見せて抜《ぬき》んでているが、それも雪に覆われている。家並のむこうにこれもまた白皚々《がいがい》とただなだらかな稜線を見せて左から右へ下っている。家と山脈《やまなみ》との上

与謝蕪村　夜色楼台雪万家の図　個人蔵

には真暗な夜の空がひろがっていて、雪はまだその暗い空からひっきりなしに降りつづけている。

人影はどこにも見えないが、この画を見ているとわたしは一種の茫漠とした詩情が湧くのを覚え、これらの雪をかぶった屋根の下に身を潜《ひそ》めるように暮している人びとの存在を感じずにいられない。夜の雪であるところがいい。この画を眺めているとおのずから蕪村の、

うづみ火や我《わが》かくれ家《が》も雪の中

の句が思いだされてくるのである。

明治の偉大な啓蒙家で俳人だった正岡子規は『蕪村句集講義』の中でこの句について、

「此句は家の外から家を見たのでは無く、家の内に在りて我家が雪深き中に埋《うず》もれて居る様を思ふたのであらう。」

と言っているが、わたしが感じるのもまさにその通りで、この画も先の「月天心貧しき町を通りけり」と同じ

く、雪に覆われた家の寒い室内で火鉢の埋れ火にかじかむ手を暖めながら、外でしんしんと降りつづける雪と、雪の中に万家が一色に埋れている景色とを思い浮べて、そのとき湧いて来た詩情を絵にしたような気がするのである。いかにも蕪村らしい、蕪村にして初めて描けた雪景色ではあるまいか。蕪村独特の、身は市俗の中に潜《ひそ》めながら心は塵外に遊ばせる、複眼的想像力とでもいったものの働きがよく感じられる画である。「我かくれ家も雪の中」と詠んだ、その「も」から生じた詩情である。

と同時に、それら雪に埋れた小さな家々の一つである自分の住居を「我かくれ家」と詠んだところに、漢詩が好きで隠逸《いんいつ》の風を慕うこと厚かった人の、ひそやかな思いも托されているように感じられる。隠れ家とは世を潜んで身を隠す仮の住居である。自分はいつそこから別の所へ移ってしまうかもしれない。それは社会に根を下した人の恒久の邸宅ではない。物とてもほとんどなく、すべては身一つひっさげていけるほどのもの、旅の道具と異ならぬ物しかない。そういういつでも飛び立ってゆける仮の旅寓《りょぐう》のごときものとして自分の家を「我かくれ家」と呼んだとき、蕪村の内には当然ながらその敬慕する先師芭蕉の、

草庵にしばらく居ては打破り

の発句を思い浮べたことだろう。が、蕪村みずからは芭蕉のように俗を離れるため「旅人と我《わが》名《な》よばれん初しぐれ」の漂泊の旅に誘われる人ではなく、無名のまま市井《しせい》に潜んで詩情を養う人であった。彼は芭蕉を崇める心では人に劣らなかったけれども、師は師、自分は自分と思い定めたところがあって、そういう自他の違いをしかと意識している人の心の底にあったのは、「大隠《たいいんは》隠朝市《あさいちにかくる》」の言葉ではなかったかと思う。自分を大隠と自負する傲慢さはぜんぜんなかったにしろ。彼は市井の中にあって離俗の心を養う人であった。師と自己との違いを明確に認識し、己れの道を行った人だったのだ。

呉春の筆になるという蕪村像があって、背を円め、寒そうに桐火桶に両手をかざしながら床に置いた書物を読んでいるところを描いている。墨染の衣に白い襟巻き様のものを首に巻き、前頭部の尖った、穏やかな禿頭《とくとう》の人の姿である。これはおそらく蕪村その人の特徴を最もよくあらわしているリアルな蕪村像だと思うが、この蕪村像を見ているとやはり「うづみ火や」の句が浮び、「夜色楼台雪万家の図」が思いだされるのだ。

天明二（一七八二）年、「檜笠辞《ひのきがさのじ》」に彼は自分と芭蕉との違いを明確に意識した言葉を書いている。

さくら見せうぞひの木笠と、よしの丶旅にいそがれし風流はしたはず、家にのみありてうき世のわざにくるしみ、そのことはとやせまし、この事はかくやあらんなど、かねておもひはかりしことゞもえはたさず、ついには煙霞《えんか》花鳥《かちよう》に辜負《こふ》するためしは、多く世のありさまなれど、今更我のみおろかなるやうにて、人に相見《あいまみえ》んおもてもあらぬこ丶ちす。

花ちりて身の下やみやひの木笠　　夜半

芭蕉が『笈の小文』に「よし野にて桜見せふぞ檜の木笠」とうたった、あのような旅中漂泊の詩情は自分のよくなしうるところではない。自分は俗世間を離れられぬ人間である。あくまで市井の貧家にこもって浮世のわざに苦しみつづけるのが自分の境界なのだ。そして為すべきこともよう果せず、煙霞花鳥にもつい心ならずも背いてしまうだらしない人間が自分なのだという。

これは必ずしも卑下《ひげ》しているばかりの弁明ではなく、むしろ開き直った自負がそこにはあって、市井に隠れすむことこそ自分の風流という宣言でもあるだろう。前にも引いた、「俳諧は俗語を用て俗を離る丶を尚ぶ、俗を離れて俗を用ゆ、離俗ノ法最かたし」の気持と同じである。山谷に漂泊するよりも俗の中にあって俗を離れることこそ最もむずかしく、真の風雅はその中にあると自分は信じている、と言っているように見える。

鴨長明が市塵を離れた方丈の住居に風雅を見つけて以来、塵外の地に住んだり、つねに旅から旅への生涯を送ることがこの国の隠士たちのならいとなってきた中で、心中に俗を去りさえすれば身は市井の中にいても風雅はありうるという、これこそ蕪村の発見であったろう。彼が芭蕉の旅から旅への生涯を真似なかったのは、ちゃんと一つの主張あってのことだったのである。蕪村のこの心意気は池大雅のものでもあったろうし、こういう画人、俳諧師の生き方を慕ってその風を記し遺した人たちのそれでもあったに違いない。

問題は心根に俗っ気があるかないかであり、人びとはたとえ技巧にいかにすぐれていても俗臭紛々たる人をきらい軽蔑し、文人においては何よりも心根の高雅を尊んだのだ。貧しいということは決して貶《おと》しめられる理由にはならなかった。むしろ清貧は、志の高雅と離俗の心根の必然であって、かれらの無欲にして簡素な暮しぶりはかえって尊いものに見做《みな》されたからこそ、池大雅や蕪村について人びとは競ってその逸事を記し遺したのであろう。

ではどのようにして人は離俗の心境に達しうるのか。

蕪村はそれについてこう考えていた。離俗の法についての召波との問答《もんどう》が「春泥句集序」にある。

召波「あなたがいま言われた離俗の説は、その趣旨はいかにも奥深いもののようですが、これは一体工夫をこらして自分から求めるべきものでしょうか。自然に化して俗を離れる捷径《しょうけい》(近道)

はありましょうか。」

蕪村「それはある。詩を語るがよい。あなたはもともと詩をよくなさる。詩の外に求むべきではない。」

召波「しかし詩と俳諧とはいささか趣きを異にするのではありませぬか。それなのに俳諧を捨てて詩を語れといわれる。迂遠《うえん》なやり方ではありませんか。」

蕪村「画家にも去俗論がある。『芥子園画伝』に『画が俗を去るに他の法はない、多く書を読めばすなわち書巻の気上昇して市俗の気下降する』とある。画において俗を去らしむるにさえも、いったん筆を捨てて書を読ませるのだ。ましてや詩と俳諧とどれほど違うというのか。」

召波「わかりました。」

ここに詩というのは李白、杜甫、陶淵明などの昔の漢詩をいうのだろう。これらは芭蕉も蕪村も深く愛するところで、詩情をそこに学ぶことが多かったのだ。その心事を学べというのである。

これは俳諧において俗を離れるの法ということになっているけれども、その心においてはたんに句作りの上だけのことではなく、生き方、心の持ち方にかかわるものであった。心全体からして離俗の詩人になるのでなければ離俗の句を作ることは望めないと言っているのだ。

事は俳諧の世界にかかわるのみとはいえ、こうしてこの国の文人のあるべき姿というものが作られていったのを、わたしは貴いことに思う。伝統という言葉はとかく固定したものに考えられがちだが、人生に対する、文芸に対する心事のあり方をそれは指すのだとすれば、このようにして現世の名利を求める世界とはまったく違う別乾坤に遊ぶ価値観が作られていったのは、この時代の文明の成熟を示すものであるだろう。

わたしはこういう、身は市井の中に住み、日常は俗事にかまけていても、心だけは俗を離れた高い境地に遊ぶという気風は、蕪村のような文人だけのことではなく、一般の生活者の中にも広くあるものだったと信じている。その気風は江戸期から近代の明治・大正・昭和と呼ばれる時代まで、世間の表には出なくても庶民の中に脈々と伝えられたのだと信じている。そしてあるいは現代日本の、この生産と経済万能のような時代においても、庶民の中にその気風はまだ残されているかもしれなくて、事実、わたしは実際にこの目で、名利に恬淡《てんたん》とした、そういう清々しい心持の人たちを幾人も見て来た。一国の文化が伝えられてゆくとはそういうことであろう。画や文芸にあらわれずとも、心の持ち方においてそれは伝えられてゆくのである。

わが国ではいまも夥《おびただ》しい数の素人が俳句を詠み和歌を作っているが、かれらに果してこのような離俗の気風が伝わっているかどうか。

十二、歌よみて遊ぶほかなし吾はただ

橘曙覧、雨の漏る陋屋に万巻の書

橘《たちばな》曙覧《あけみ》（文化九〜明治一 一八一二〜一八六八）といっても今は日本人でも知る人はほとんどいないだろうが、幕末

の歌人で、明治になって正岡子規がその万葉調の歌を高く評価して以来有名になった。わたしはこの人の素直な生活の歌が好きで、前々から親しんで来た。その曙覧の『志濃夫廼舎《しのぶのや》歌集《かしゅう》』に、大雅とその妻玉瀾と、玉瀾の母百合女を詠んだ歌がある。

祇園百合女
一つある葉かげの莟《つぼみ》かき抱き身を野に朽たす姫ゆりの花

池無名
勢田《せた》の橋その人とほく去りて後すてし扇を見ほしがる哉

玉瀾女
此の筆は眉根つくろふ筆ならず山水《やまみず》かきて背に見する筆

わざわざこうやって大雅とそのまわりの人びとを詠んだことにも、曙覧がいかにその風を慕っていたかが察しられるが、これらの歌には大雅についての逸話が元になっている。

大雅は若いころまだ世に知られず一向に画が売れないので、扇子に画をかいて祇園の境内《けいだい》で売っていたことがあった。売るといっても莚《むしろ》を敷いてその上に扇子を並べておくだけの話だが、幾日たってもまるで売れない。そのとき祇園社に茶店を出していたのが百合女で、茶店は母の梶という女からひきついだものであった。梶も娘の百合も風流の人であって、梶には『梶の葉』、百合には『佐遊李葉《さゆりは》』という歌集がある。その百合女が見かねて何くれと親切にしてやり、それから縁が生じ、結局は百合の娘町を池無名、すなわち大雅に嫁がせることになったのだ。

その大雅は文人画を柳里恭《りゅうりきょう》や祇園南海《ぎおんなんかい》に学び、相当の域に達していても無名では画で生きていくことができない。そこで扇子に絵を画いて近江のほうへ売りにいったがまったく売れず、帰りに瀬田の橋まで来たとき、売れぬものならせめて竜神に捧げてしまえと、扇を全部川の中に投げてしまったというのである。

そういう逸話を曙覧は知っていたから、百合女には娘の町をかき抱いていつくしみ育てる歌を、大雅にはあなたの捨てたというその扇が見たいものですという歌を、玉瀾にはあなたが大雅とむつまじく絵を描くところこそ慕わしいという歌を、それぞれ詠んだのであろう。

玉瀾という人もまことにその人柄の慕わしい人であって、彼女が夫とともに暮して少しもその貧乏を苦にせず、絵の世界にのみ遊ぶ人だったことは前に記したが、彼女の絵も実にみごとなものだったらしい。森銑三が『雲烟瑣淡《うんえんきだん》』という本の中の逸話を紹介しているので、それを訳してみる。

「閨秀《けいしゅう》で南画をよくした者を挙げるならまず玉瀾をもって第一としなければならないとは、ひとり田能村竹田の説ばかりでなく、ほとんど古来の定説と言っていい。玉瀾はその身が百合の子であり、また大雅の妻だというそのことだけでも、すでになんとなく慕わしい気がするが、まして その人品が高雅で、その筆墨の技が精妙なのであるからなおさらである。世人が彼女の遺墨を珍重してやまないのも尤《もっと》もというべきである。

ところで自分が見ることを得た玉瀾の真蹟の中で最も賞翫《しょうがん》したのは、小雲氏所蔵の摺扇《しょうせん》であった。これは無造作に描きだした山水の画だが、そこにかえって無限の興趣があった。左の上方に大雅の筆で『泉臨香澗落《いずみはこうかんにのぞみておち》、峰入翠雲多《みねはすいうんにいりておおし》』という沈佺期《ちんせんき》の句が記されており、その書もまた実にいいものだった。

この摺扇はもと司馬《しば》江漢《こうかん》が所有していたもので、その箱に江漢の筆で『大雅書、玉瀾画』と認《したた》め、その下に例のローマ字で江漢の名を記してあるばかりか、扇の裏面に次のような文章が記してあった。

『三浦侯の大夫九津見氏は俗に人呼んで唐人吉左衛門という風流の第一人者であったが、信州から京都にいたったおり、玉瀾女の茶店で扇を買い、それを持って大雅を訪ねて字を書いてもらった。そして江戸に来て自分にこれを贈ってくれたのである。大事に蔵することほとんど三十年になる。いま脇坂氏が切にこれを求めるので与える次第である。文化元年甲子暮、春波楼主人認む』と。

見るにたしかに玉瀾の画、大雅の書である、まことに貴重なものだ。ましてや江漢が久しく珍《ちん》翫《がん》して来たというのだからなおさらである。この摺扇のような逸品は、世間にもめったにないであろう。」

この九津見吉左衛門とは森銑三氏の注によれば荻生徂徠門で才名の高かった源京国、久津見華《くずみか》岳《がく》という人だそうで、その人が扇を手に入れた次第といい、それを貰ったのが司馬江漢であったことといい、扇一つを通じて文人の心が伝えられていったさまがなんとも好ましいのである。

つまり橘曙覧は、玉瀾がそういう人であることを知って、かの歌を詠んだわけだ。

曙覧は福井の人で、三十代半ばに決心して「祖先相伝の家業財産を挙げて弟宣に譲り、飄然《ひょうぜん》として城南の足羽山《あしばやま》に退去し、専《もっぱ》ら文学に従事」したのであった。以後五十七歳で没するまで、まさに「専ら文学に従事」し、貧乏暮しも意に介せず歌を詠んで生きた。その歌が明治になって子規に、

「曙覧の歌想は万葉より進みたる処あり、曙覧の歌調は万葉に及ばざる処あり。」

と評価されて世に知られたのである。

うつくしき蝶ほしがりて花園の花に少女の汗こぼすかな
人臭き人に聞かする歌ならず鬼の夜ふけて来ばつげもせむ
若葉さすころはいづこの山見ても何の木見ても麗《うるわ》しきかな

生活の中の感情を歌っていて、実感があり、そこが子規には気に入ったのだろう。これらの歌

にはほとんど明治人が詠んだと言っていい新鮮な感覚がある。曙覧の歌で最も有名なのは「たのしみは」に始まる『独楽吟』であろう。この時代にこんなふうに自由に生活歌を作っていた新しさに驚かされるのだ。

たのしみは珍らしき書《ふみ》人にかり始《はじ》め一ひらひろげたる時
たのしみは妻子《めこ》むつまじくうちつどひ頭ならべて物をくふ時
たのしみはまれに魚煮て児等《こら》皆《みな》がうましうましといひて食ふ時
たのしみはそぞろ読みゆく書の中に我とひとしき人を見し時

どれもみな貧乏生活の中での生きるよろこびの一瞬を詠んだもので、現代のわれわれにもじかに通じる歌ばかりである。彼は何十首もこういう歌を作りつづけている。

この無名の歌人を高く評価したのは福井藩の家老中根《なかね》雪江《ゆきえ》で、雪江は初めは曙覧に歌を教えたのだが、後には「余は始の程こそ先達《せんだつ》めきて物しつれ、いまはかなわぬ」といい、曙覧の歌についてこう言っている。

「その歌風は次第に境を高めていって、世のありきたりの風を抜ん出て、何よりも上世の心ばえを主《おも》んじ、世間に起る事や意表に思うことどもを、ただそのままに詠みあげている。」

と、曙覧の歌の新しさ、高さをほめ讃えているのである。

そしてこの中根雪江の推賞によって主人の松平春嶽《まつだいらしゅんがく》も曙覧を重んじ、安政の大獄に連坐して春嶽が江戸の邸内に幽居していたときは、曙覧に命じて万葉の秀歌を選んで書かせ、それを部屋の四周に貼って心の慰めとしたという。また元治二（一八六五）年には中根雪江の案内で曙覧の陋《ろう》屋《おく》を訪ね、その貧しさ、いぶせさに驚いたことをみずから文章に書き遺している（「橘曙覧の家にいたる詞」）。この文章は貴顕《きけん》から見た隠士《いんし》の生活の記録としても面白いから、次に訳してみる。

「かねて自分よりすぐれて物事を知る人には、身分の高下を問わず会って物を尋ね、あるいは物語を聞きたいものだと思っていたが、今日はこのころには珍しく日影あたたかに、久かたの空晴れてのどかな日和《ひより》だったので、こんな日には山川野辺の景色もよかろうと、巳の刻（午前十時）の鼓を打つころから野遊びに出かけ、三橋《みつはし》という所に行った。そこに見える家をさして中根師賢（雪江）が、あれが曙覧《あけみ》の家でございますと言うのを聞いて、急に訪ねてみる気になった。

行ってみると小さな板屋の惨めな家で、囲いもなく、片付けもしないのか、そこかしこ塵埃《じんあい》が山をなしている。柴の門とてなく、心許《こころもと》ない気持で家に入っていった。師賢が気ぜわしなく『参議の君のお成りぞ』と大声で呼ばわると、中から膝折り伏せるようにして家の者が這い出て来た。

少し広いところに入ってみると、壁は落ちかかり、障子はやぶれ、畳は切れ、雨の漏るような有様であるけれども、机の上にはおびただしい書物が積んであって、あやしげな厨子に人丸《ひとまる》の御像なぞも飾られていた。自分は着物を脱いで、賤《しず》の着る粗末な衣に着かえた。そして扇一本を侍医の半井保《なからいたもつ》（福井藩の侍医、諱《いみな》は保、通称元沖）に渡し、これを曙覧に与えよと伝え、あらためて曙覧にむかって言った。

——そなたの屋の名を『わらや』と呼ぶのはふさわしくない。橘という姓の縁もあることゆえ、今日からは『忍ぶの屋』とあらためるがよい。

とはいうものの家の中の汚いことはたとえようもない。虱《しらみ》という虫なども這い出てくるのではないかと思われるほどであった。

だが、形はこのように貧しく見えるとも、その心の雅《みや》びこそまことにまことに慕わしいものだったのである。自分は富貴の身で大廈《たいか》高楼《こうろう》に住み、何ひとつ足らぬものとてない身上であるけれども、その屋に万巻の書の蓄えもなく、心は寒く貧しく、曙覧に劣ること言うまでもないから、自然どうしろめたくて顔が赤くなる気持がしたことであった。これからは曙覧の歌ばかりでなく、その心の雅びを慕い学ばねばならぬ、と思った。

さようの次第であるから、日ごろの心の汚れを洗い、浮世の外の月花を友とするよう、子孫の者も心がけるがよい。

かく申すは参議正四位上、大蔵の大輔源朝臣慶永《よしなが》、元治二年二月《きさらぎ》末の六日、館に帰って記す。」

松平春嶽は幕末の名君といわれているが、その人でも曙覧の住居の汚さに辟易《へきえき》しているさまがよくうかがえる。これが鴨長明の方丈庵とか兼好法師の庵を訪れたのなら、かれらは独身で身奇麗に住みなしていたろうから貧しさに驚いても気味悪がったりはしなかっただろうに、曙覧は子沢山で汚すうえ、散らかし放題なのでそのひどさに呆れかえったのだ。しかしひとたび曙覧と話してみると、相手の高雅な心根はすぐわかり、貧しい曙覧にくらべたら高貴の身の自分のほうがどんなに「心は寒く貧しく」劣っているかと気づいたというところがいい。

曙覧が『独楽吟』四十五首を書きつけて春嶽の家臣勝沢愿《かつざわげん》に与えたことがあったらしい。勝沢が当直のおりにそれを春嶽にさしあげたところ、春嶽は、

「予これをみれば、おかしくおもしろく、はた人情のきはみ其外の興さまざまなりけり。下情しらぬ予これをみて、いかにとおもひあたりし事もありしなり。予もこれにならひて五十首をよみて、西施之傚顰《せいしのひそみにならう》にちかしとひとり笑ひて、かくはしがきけるなり。」

自分も曙覧の真似をして五十首詠んでいるのである。そんなことからも春嶽は、こと風雅の道においては自分がいかに劣っているかを身をもって知っていたのであろう。春嶽のその歌も『志濃夫廼舎歌集』に載っているが、これはまあ紹介するに及ぶまい。興味のある人は歌集について看られよ。

春嶽は曙覧の閑居を訪問したあと、侍臣を派遣して曙覧に、城中への伺候《しこう》と国書の進講とをすすめたようだが、曙覧はそれを固辞して受けなかったことが「歌集」からもうかがえる。

二月廿六日（元治二年乙丑）

宰相君御猟の御ついで、おのが艸廬《そうろ》にゆくりなく入らせ給へる、ありがたしともいふはさらなり、ただ夢のやうなるここちして涙のみうちこぼれけるを、うれしさのあま

りせめて

賤夫《しづのを》も生けるしるしの有りて今日君来ましけり伏屋《ふせや》の中に

其後、御館にまうのぼるべう、川崎致高主を御使として仰せごとありけれど、賤《いや》しき身の、さるたふとき御まへにまうでまつらむことのせちにかしこく思ふ給へらるる旨きこえまつりてかく

花めきてしばし見ゆるもすずな園田　盧《たぶせのいほ》に咲けばなりけり

この川崎致高というのは春嶽の侍臣で曙覧の門人、風雅の士であったが、讒《ざん》に遭《あ》って明治二（一八六九）年、自刃したそうである。

すずなはあの春の七草の鈴菜で、こんな青葉が花めいて見えるのも田舎家に咲いているからでありまして、御殿でも花と見えるわけではありませぬ、と固辞しているのだ。曙覧の心根はあくまでも野にあって心のまま自由に生きるところにあった。

たのしみは意《こころ》にかなふ山水のあたりしづかに見てありくとき
たのしみは書《ふみ》よみ倦《う》めるをりしもあれ声知る人の門たたく時
たのしみは客人《まろうど》えたる折しもあれ瓢《ふくべ》に酒のありあへる時

こういうたのしみは宮仕えしては叶わず、あくまでも誰にもたよらぬ独立独歩の貧しい暮しにのみあることを曙覧はよく心得、自分の風雅はそういうところにおいてのみありうると知っていたに違いない。

彼が死んだのは明治と改元された年の八月で、幕末の激動期に数奇《すうき》なその歌人の生を終えたのだった。彼の志はこんな歌によくあらわれていると思われる。

歌よみて遊ぶ外なし吾はただ天《あめ》にありとも地《つち》にありとも
幽世《かくりよ》に入るとも吾は現世《うつしよ》に在るとひとしく歌をよむのみ

十三、死を憎まば、生を愛すべし

吉田兼好の死生観とその普遍性

『枕草子』と『徒然草』とは江戸期を通じて文人の最も愛好した古典であったらしい。灰屋紹益の『にぎはひ草』が『徒然草』を意識していることは「つれ〴〵草によせて、にぎはひ草と名づけ」たとあることからも明らかだし、蕪村にも『徒然草』のパロディというべき短文があり、素人考えで大雑把な言い方をすれば、江戸期に夥《おびただ》しく書かれた随筆集はほとんどが少くともどこかにそれを意識していると言っていいのではないか。わけても『徒然草』は、たんに文章上の模範であったばかりでなく、文人の心意気を養う上で必須《ひっす》の古典と見做されていたように思われる。吉田兼好《よしだけんこう》（弘安六?〜観応三以後 一二八三?〜一三五二以後）というのは非常に複雑な人で一筋縄ではわりきれない。『徒然草』はあるところでは趣味を語り、世相を語り、道念を説き、いろいろな面を具えていて一つの決った読み方は出来ない。その観察が多面的で、しかも鋭く、表現の力強いところが、モンテーニュの『エッセイ』と同じように、日本で古来これを随筆の古典にして来たのだ。が、やはりその中で最も人に働きかけたのは、

「若きにもよらず、強きにもよらず、思ひ懸《か》けぬは死期《しご》なり。」（第百三十七段）

という、死すべき者としての人間の自覚を説く段々であったろうと思われる。メメント・モリ（死を忘れるな）の心掛けをこのように明確な思想として説いた人物は、外にはいなかったのだから。

死期《しご》は序《ついで》を待たず。死は、前よりしも来《きた》らず、かねて後《うしろ》に迫《せま》れり。人皆死《し》ある事を知りて、待つことしかも急《きふ》ならざるに、覚えずして来《きた》る。沖《おき》の干《ひ》潟遥《かたはる》かなれども、磯《いそ》より潮《しほ》の満《み》つるが如し。（第百五十五段）

こんなふうに短い文章で、ノミで穿《うが》つように鋭く明快に、死というものが思いもかけず襲いか

かることを説く。この文章の力は並大抵のものではない。よほどふだんから深く死の来襲について思索を深めていた人の認識であって、『徒然草』の魅力は、生をそんなふうにいつ来るか知れぬ死の上に浮ぶ危うい時と認識し、しかしだからと言って『一言芳談抄《いちごんほうだんしょう》』の坊さんたちのように、「とく死なばや」と厭離穢土《おんりえど》をすすめるのではなく、そういう生であるからこそ、

されば、人、死を憎《にく》まば、生《しやう》を愛《あい》すべし。存命《ぞんめい》の喜《よろこ》び、日々《ひゞ》に楽しまざらんや。（第九十三段）

生きてある今のありがたさの自覚へと人を誘うところにある。たった一行の短文だが、この言葉は一度知ったら忘れられぬ力強さに満ちている。

「沖の干潟遥かなれども、磯より潮の満つるが如し」と、死の訪れの予期しがたさ、無気味さを説く文章の鮮やかな切れ味があるからこそ、一読して「死を憎まば、生を愛すべし」と生へと目を向けさせる言葉が力強くひびくのである。生とはまことに危ういものであると説く人はいままでもいたけれども、それをこんなふうに生の喜びの認識へと鮮やかに転換させた人は誰もいなかった。そこに『徒然草』の人生論、死生論の新しさがある。

この段は『徒然草』の急所なのでもう一度その部分全体を掲げてみよう。江戸の文人たちを打ったのもこんなところではなかったかと思うから。

されば、人、死を憎《にく》まば、生《しやう》を愛《あい》すべし。存命《ぞんめい》の喜《よろこ》び、日々《ひゞ》に楽しまざらんや。愚《おろ》かなる人、この楽しびを忘れて、いたづがはしく外《ほか》の楽しびを求め、この財《たから》を忘れて、危《あやふ》く他の財《たから》を貪《むさぼ》るには、志《こゝろざしみ》満つ事なし。生ける間生《あひだしやう》を楽しまずして、死に臨《のぞ》みて死を恐れば、この理《ことわり》あるべからず。人皆《ひとみな》生を楽しまざるは、死を恐れざる故《ゆゑ》なり。死を恐れざるにはあらず、死の近き事を忘るゝなり。もしまた、生死《しやうじ》の相《さう》にあづからずといはば、実《まこと》の理《ことわり》を得たりといふべし。（第九十三段）

自分が生きて今存在しているという、これに勝る喜びがあろうか。死を憎むなら、その喜びをこそ日々確認し、生をたのしむべきである。なのに愚かなる人びとはこの人間の最高のたのしみをたのしまず、この宝を忘れて、財産だの名声だのというはかない宝ばかりを求めつづけているから、心が満ち足りるということがないのだ。生きているあいだに生をたのしまないでいて、いざ死に際して死を恐れるのは道理にも合わぬことではないか。人がみなこのように本当に生きてある今をたのしまないのは、死を恐れないからである。いや、死を恐れないのではない、死の近いことを忘れているからに外ならない。

人間にとっての最高の宝は財産でも名声でも地位でもなく、死の免れがたいことを日々自覚して、生きて今あることを楽しむことだけだと、人を生へと励ますこの認識は、離俗を志す江戸の文人たちにとってどれほどかの鼓舞《こぶ》となったかしれないと思うのだ。かれらはもとより名利の世界を離脱しようと志す身である。現世の生の貧しさは甘受する覚悟である。利害得失の浮世とはまったく違う風雅の別乾坤《べつけんこん》に最高の生き甲斐を見出してもいる。そういうかれらの、世間一般から見れば脱落者とも見えかねない生き方にたいし、兼好のこの言葉はまさに理論的支柱といっていいような励ましを与えたことだろうと、わたしは想像する。

ではどういう生き方が「存命の喜び、日々に楽し」む生かと、兼好はそういう生き方をも具体的に描いている。

つれ〴〵わぶる人は、いかなる心ならん。まぎるゝ方《かた》なく、たゞひとりあるのみこそよけれ。世に従《したが》へば、心、外《ほか》の塵《ちり》に奪《うば》はれて惑《まど》ひ易《やす》く、人に交《まじは》れば、言葉、よその聞《き》きに随《したが》ひて、さながら、心にあらず。人と戯《たはぶ》れ、物《もの》に争《あらそ》ひ、一度《ひとたび》は恨《うら》み、一度は喜ぶ。その事、定《さだ》まれる事なし。分別《ふんべつ》みだりに起りて、得失《とくしつ》止む時なし。惑《まど》ひの上《うへ》に酔《ゑ》へり。酔《ゑひ》の中《うち》に夢をなす。走りて急《いそ》がはしく、ほれて忘れたる事、人皆《みな》かくの如し。

未《いま》だ、まことの道を知らずとも、縁《えん》を離れて身を閑《しづ》かにし、事にあづからずして心を安くせんこそ、しばらく楽《たの》しぶとも言ひつべけれ。「生活《しやうくわつ》・人事《にんじ》・伎能《ぎのう》・学問等の諸縁《しよえん》を止《や》めよ」とこそ、摩訶止観《まかしくわん》にも侍《はんべ》れ。(第七十五段)

スケジュール表に予定をびっしり書きこんで、絶えず忙しく動き回っていないと生きた気がしないような人の気が知れない。わたしに言わせれば、人間は他のことに心を紛らわされず、己れひとり居て心を見つめているのがいいのだ。

世間並に暮そうとすれば、心は儲けごととか商談とか出世とか色ごととか、そんな外の塵に自分も心を奪われて惑いやすいし、人との交際を重視すれば、テレビだの新聞だの意見や情報に引き回され、まるで自分が自分でなくなってしまう。たのしく付合っていたかと思えばすぐ喧嘩をし、恨んだり悦《よろこ》んだりして切りがなく、心の平安なぞ望むべくもない。ああすればとか、こうすればと考えて利害の関心から抜け出せない。まるで惑いの上に酔い、酔いの中で夢を見ているようなものだ。だが、世間を忙《せ》わしく走り回っている人を見ると、事に呆《ほう》けて肝腎なことを忘れている点では人みな同じである。

だから、まだ真の道は何かを知らずとも、仕事、人間関係、世間体などの諸縁を断ち切って心を安らかにしておくのこそ、生を楽しむ態度だと言うべきである。摩訶止観にも、生活、人事、伎能、学問等の諸縁をやめよ、とあるではないか。

兼好はこのように、世間のままに動いていては心の充実は得られない、世間並の生から距離をとって己れの心をしかと見つめよ、それこそ存命の喜びを楽しむことだ、と言うのである。『徒然草』全巻について、この態度がいわばライトモチーフとして鳴っている。

この段についていろいろな人がいろいろなことを言っている中で、わたしに最も親身な意見と聞えたのは、亡き上田三四二《うえだみよじ》が『俗と無常—徒然草の世界』(講談社)の中で言っている言葉であった。上田はこの段の最初についてこう言う。

「このように言うとき、兼好は、あの、うちに純粋の時間を湛えた透明な一本の筒になった自分を感じている。夾雑物《きょうざつぶつ》を排除し、副次的なものを選別し、のみならず、およそ内容というもののいっさいを汲みつくしたあとに残された透明な筒の、その一種空虚な体感を、彼はこのうえなく確実でこのうえなく純度の高い生の手触《てざわ》りと感じているのである。」

これは『徒然草』の言葉を本当に自己の体験を通して語る人の言葉だと思われる。

上田三四二は医者で歌人で作家だが、四十代にガンに冒され、それは克服したものの後にまたガンが再発して手術を行い、生と死との問題に早くから思いを凝らして来た人だった。彼にとっては『徒然草』の言葉は、彼の最も大事な関心にじかにつながるものだったのである。

彼の最後の小説『祝婚』(新潮社)に、死を身近に控えていま生きている感覚をこんなふうに描いている。ガン手術後のからだで従兄の娘の結婚式に参列するため京都にゆき、たまたま花の下を歩く場面である。

「だが二十歳を出たばかりで戦死という籤《くじ》を引いた従兄の不運を思えば、六十年は一生と呼ぶに充分な長さではないか。人はそれぞれ、そう生きるよりほかはないさだめというものがあるのであろう。彼は前立腺をうしない、膀胱をうしなってようやく贖《あがな》った残りの生を、悔むことなく、強がることもなく、ありのままに、感謝をもって受取ろうとしていた。残された日の量《かさ》は測りがたかったが、一日生きれば一日は余禄であり、恩寵であった。彼は黄金《きん》のように重い一日一日を、踏みしめ踏みしめて坂をくだるその一歩一歩のように、味わって生きようとしていた。」

このように書いたとき上田三四二はまさに『徒然草』のあの、「存命の喜び、日々に楽しまざらんや」を、最も純粋に、最も充実して味わっていたのだと思われる。彼はこの小説を書いたあとまもなく死んだが、彼の最後の日々の充実をわたしは信じて疑わなかった。

『徒然草』の鋭い認識と思想とはこのように、現代人にまで強い影響を与える力があるのである。それだけ認識が透徹していて、思想が力強いのだ。ましてや江戸期の文人たちにとっては、これはかれらの生への態度を決定する指南書のような古典であったに違いない。兼好は世捨て人ではあったけれども出家ではなく、市井に住むただの人ということでは江戸の文人たちと異ならなかった。そういう人の思想であるからなおさら共感を呼んだのだと思われる。

いまは無形の価値というあやふやなものでは満足出来ないかのように、すべてを数字であらわさないと気がすまないらしい。子供の学習能力も絵画の価値もゆたかさもみな数字に換算し、数字の高いほどいいとするふうだが、平均寿命何十歳などといっても、それがただ肉体的生命の延命だけを意味するなら、一体それに何の値打があろう。一つの生が真に充実していたかどうかは、内に満つるものによってしかわからず、それは数字などとはまったく無縁なものだ。

在りがたきいのちのありてあふぐそら天日は煌人身《こうにんしん》は恍《こう》

閑日《かんじつ》をあらしめたまへ一日《いちじつ》を両日《りょうじつ》として生かしめたまへ

最後の手術のあとの日々を上田三四二はそんなふうに歌っているが、社会的活動は何一つ出来なくとも、その日々の時間はつねにこのようないのちに満ちていたのであった。それはスケジュール表に従って分刻みの多忙な生を送る人には想像の出来ぬ種類の充実である。生きて命あるという時間が、数字で測られる時間とはまるで違う次元から測られ味わわれているのだ。

尾崎一雄の大患後の小説にも、またそういうときのありがたさを描いたものがある。

尾崎一雄は戦争中に大喀血して以来ずっと寝こんだままで生死の境をすごし、戦後かなり経ってようやく回復した。そのときの心境を『美しい墓地からの眺め』という小説にこう書いている。「よく晴れた日の、風も穏やかな午後一時二時、といふ時刻が、緒方にとつては『幸福の時』ともいふべきものであつた。そういふときは、発作の起る懼《おそ》れがない。大きい声を出しても胸に響かない。息切れもしない。だから自然と持前の大声になつてゐる。

緒方は寝床から起き出し縁側に出る。煙草に火をつけ、うらうらとした陽ざしの中へゆつくりと煙を上げる。激しい勢で若葉を吹き出してゐる庭前の木や草を、しげしげと眺める。『俺は、今生きて、ここに、かうしてゐる』かういふ思ひが、これ以上を求め得ぬ幸福感となつて胸をしめつけるのだ。心につながるもの、目につながるものの一切が、しめやかな、しかし断ちがたい愛情の対象となるのもかういふ時だ。」

ここにあるのも、長いあいだ死の間際《まぎわ》にあった人の、死の上に浮ぶ危うい生の、その生きてある一刻一刻を心の底からありがたい時と味わっている姿である。『徒然草』の「存命の喜び、日々に楽しまざらんや」を尾崎一雄は「俺は、今生きて、ここに、かうしてゐる」と現代の言葉であらわす。ここにある生の認識、生きてあることへの感謝は、時代を超えて完全に一つの同じひびきを発しているのである。「存命の喜び」という言葉を思いだすとき、わたしはまっさきに尾崎一雄のこの文章を思い出し、上田三四二の花の下を歩く文章を思いだした。人間の生きてある今がこれほど深いところから味わわれることはほかにはない、とそのたびに思った。これにくらべたら、自分をふくめてふつうの健康な人は、なんとぞんざいに生を浪費していることか、とも思った。

蟻《あり》の如くに集まりて、東西《とうざい》に急ぎ、南北に走る人、高きあり、賤《いや》しきあり。老《お》いたるあり、若きあり。行《ゆ》く所《ところ》あり、帰る家《いへ》あり。夕《ゆふべ》に寝《い》ねて、朝《あした》に起《お》く。いとなむ所何事《なにごと》ぞや。生《しやう》を貪《むさぼ》り、利《り》を求めて、止《や》む時なし。

身を養《やしな》ひて、何事をか待つ。期《ご》する処《ところ》、たゞ、老《おい》と死《し》とにあり。その来《きた》る事速《すみや》かにして、念々《ねんく》の間《あひだ》に止《とど》まらず。これを待つ間《あひだ》、何《なに》の楽《たの》しびかあらん。(第七十四段)

兼好もまた尾崎一雄や上田三四二と同じ深みから、慌《あわただ》しい世間の人の営みを眺めていたのである。わたしはここに一国の文化の底を流れる深い底流といったものを感じる。兼好は十四世紀の文人だが、その書いたものがずっと読みつがれ、思想が伝えられて、二十世紀の現代人の心にひびきあう。これはほとんど奇蹟のようにも思われるし、またそれが起るのが文化というものだという気もする。真実の認識には時代がない。その時代を超えた普遍性をもつものこそが、文化の名に値するのである。『徒然草』は過去のものではないのだ。

病は人生の大きな挫折であるとするなら、その挫折を体験することによって、自分が生きてあるというそれまで当り前のこととして受取っていたものの価値を発見する、挫折した体験のない者は生涯その価値に気づかないかもしれない、というところに、生の逆説的な秘密があるようである。

十四、一句として辞世ならざるはなし

風雅に身を削る松尾芭蕉

生の時間は棒のように未来に向って無限に延びてゆくものではない。生きてあるという時間は生きてある今この一刻一刻が生のすべてであって、それは明日にも不慮《ふりょ》の事故や病で断ち切られるかもしれない。今がすべてと今この時を生きないかぎり、われわれはついに生きた時を持たないで終るだろう。兼好のいう、「されば、人、死を憎まば、生を愛すべし。存命の喜び、日々に楽

しまざらんや」は、そう言っているように思われる。

とすれば、歌や俳句を作る者にとっては、作った歌や句がそのまま辞世である。上田三四二の晩年の歌はみなそういう思いで作られていた、とわたしには見える。花の下を歩くときの彼の幸福感は、これが最後の花、と観たからこそありえたものであろう。真の文芸作品はみなそういう意味で生涯のそのときのすべてを歌いつくしている。

『芭蕉翁反古文』と称する文書があって、芭蕉の臨終のときのことを記している。どうやらこれは偽書らしいけれども、偽書だとしても、幾人かの人の見聞を基に書いたもので、内容は其角《きかく》や路通《ろつう》の書いたものに通じ、真実を語っていると見做されているへんな文書である、その中にこうある。

支考《しこう》・乙州《おとくに》等、去来に何かささやきければ、去来心得て、病床の機嫌をはからひて、申していふ、「古来より鴻名《こうめい》の宗師、多く大期《たいご》に辞世あり。さばかりの名匠の、辞世はなかりしやと世にいふものあるべし。あはれ一句を残し給はば、諸門人の望み足りぬべし。」

師のいふ、「きのふの発句はけふの辞世、けふの発句はあすの辞世、わが生涯いひ捨てし句々、一句として辞世ならざるはなし。もしわが辞世はいかにと問ふ人あらば、この年頃いひ捨ておきし句、いづれなりとも辞世なりと申し給はれかし。諸法従来常示寂滅相《しよほうじゆうらいつねにじやくめつのそうをしめす》、これはこれ釈尊の辞世にして、一代の仏教、この二句より外はなし。古池や蛙とびこむ水の音、この句にわが一風を興《おこ》せしより、初めて辞世なり。その後、百千の句を吐くに、この意ならざるはなし。ここをもって、句々辞世ならざるはなし」と申し侍るなりと。(文暁編『芭蕉翁反古文』)

芭蕉《ばしよう》(正保一〜元禄七 一六四四〜一六九四)はこの通りの言葉で言わなくとも、これらの言葉は芭蕉の意を体したものであったに違いない。路通の『芭蕉翁行状記』にも、「いにしへより辞世を残すことは誰々もすることなれば、翁も残し給ふべけれど、平生則ち辞世なり、何事ぞこの節にあらんやとて、臨終の折り一句なし」とある。芭蕉がふだんから日ごろ詠み捨てる句はすべて辞世と考えていることを弟子たちは知っていて、それがつまりはこういう作られたエピソードになったのであろう。

いかにも芭蕉らしい言葉だし、芭蕉はつねづね一作一作にすべての力を傾注して、これこそ自分の作といえるものだけを作って来たことの、それは表明であっただろう。いまわれわれが見ても芭蕉の句は芭蕉という天才的俳人の全力量を遺憾なく発露していると思われるものばかりである。だからこそその句は日本人に愛され、芭蕉を除いて日本の文芸を語ることができぬほどのものになっているのだろう。

明ぼのやしら魚しろきこと一寸
海くれて鴨のこゑほのかに白し

おもしろうてやがてかなしき鵜舟哉
荒海や佐渡によこたふ天河《あまのがは》
蛸壺やはかなき夢を夏の月

こういう句は俳句をやらぬ者でも日本人なら誰でも知っていようし、これはこの国が生んだ国民文芸といっていいものになっている。そしてもう少し芭蕉に関心のある人なら、

猿を聞人《きくひと》捨子に秋の風いかに
狂句木枯の身は竹斎に似たる哉
病鴈《びようがん》の夜さむに落て旅ね哉
行春《ゆくはる》を近江の人と惜しみけり

こういう句に芭蕉の風雅のいかにきびしく、そこにほとんど風雅のための捨身といった趣きさえあることを感じるだろう。芭蕉があらゆる意味でこの国の文芸の道を作りあげ、のちのちまで風雅の規範となったことはいまさら言うに及ばない。まさに蕪村が歎じたように、

芭蕉去《さり》てそのゝちいまだ年くれず

なのである。

その芭蕉にしてなお、「わが生涯いひ捨てし句々、一句として辞世ならざるはなし」と言っているのだ。その心掛けをもっとくわしく言えばこういうことになる。

師の曰く「乾坤《けんこん》の変は風雅のたね也」といへり。静なる物は不変の姿也。動ける物は変也。時としてとめざればとゞまらず。止《とむ》るといふは見とめ聞とむる也。飛花落葉の散乱るも、その中にして見とめ聞《きき》とめざれば、おさまることなし。その活《いき》たる物だに消て跡なし。又、句作りに師の詞有《ことばあり》、「物の見へたるひかり、いまだ心にきえざる中にいひとむべし。」(『三冊子』)

わたしなぞには芭蕉の言った言葉の真意を解することは及びもつかないが、それでもこの言葉は心にとまる。生きているときのその一瞬一瞬にあらわれたもの、それ以外に生きているときはなく、風雅もない。飛花落葉の散りみだるる中にあって心を動かされるときは、その中にしてそのさまを見とめ聞きとめなければ、もはやとらえるときはない。収ってしまったあとではその生きた物は消えて跡形もなくなってしまい、それを歌ったとてウソにしかならぬ。風雅というものはそのように、今生きてあるとき以外にわが生きたときなしとつねづね思って全力で生きていなければ、決して出来ぬものである。「物の見へたるひかり、いまだ心にきえざる中にいひとむべし」、わたしはいつもそれを心掛けとして生きてきた。

わたしにはこの言葉はそう言っているように思われる。

そういう人にとって句作り、すなわち創作とは、それを作るためにに苦吟するその心の営みの中においてのみ生きた体験であって、ひとたび形が残り世に発表してしまえば、もはやわが抜殻《ぬけがら》のごときものであったろうと思われる。句を作るために心を悩ませているその時間の中にだけ、ある物事の体験がある。思想というものは、形あるもののように所有すれば持っているということになるものではない。それはそれを体験しているところにだけ生きているもので、体験しおえて形にしてしまえば、それを創造した人間にとってさえ、それはもはや自分を離れた客観物になってしまうのである。心臓の動きを記した心電図のごときものになるのだ。

芭蕉が最も心をそそいだのは連句であったが、その連句というものも、連衆が力をよせあって一つの世界を作りだそうとしているその中にこそ俳諧というものはあるのであって、一巻を巻き終えればもはやそれは死物である。

「文台引《ひき》おろせば　則《すなはち》反古《ほんご》也。」（『三冊子』）

と言っている。

これもまた実にきびしい言いようだが、たんに文芸の道ばかりでなく、人が生きるということがまさにこの通りなのだと言うべきだろう。ある体験は、事が起きてその渦中にあるときにおいてだけが体験であって、終ってしまえばそれは歴史の過去になってしまう。生というものは人が生きてある刻々の中にあって、そこでは過去の体験は役に立たない。また新たにそのシチュエーションの中で全力をつくすしか道はない。だから老人が昔のことを思いだして今の人に教訓を垂れても、そんな教えは無効なのだ。

高くこゝろをさとりて俗に帰るべしとの教《をしへ》なり。常に風雅の誠をせめさとりて、今なす（ところの）俳諧に帰るべしと云《いへ》る也。常風雅《つね》にいるものは、思ふ心の色《いろ》、物と成りて、句姿定るものなれば、取物《とりもの》自然《じねん》にして子細なし（対象・素材の取上げ方が自然で、ひねったところがない）。心のいろうるはしからざれば外《ほか》に詞《ことば》をたくむ（表現で小細工しようとする）。是《これ》則《すなはち》常に誠を勤めざる心の俗也。誠を勤るといふは、風雅に古人の心を探り、近くは師の心よく知るべし。其心をしらざれば、たどるに誠の道なし。（『三冊子』）

もうこうなると、たんに俳諧の道での心掛けを説いたものではなく、人間の生きる上での心掛けにまで事は及んでいるようである。この「古人の心を探り」とはどういうことかと、芭蕉はまた別のところで説いている。わたしはこの「柴門《さいもん》の辞」とふつう呼ばれている「許六離別の詞」という文章が好きで、いままでも何度か書いてきたが、またここにも取上げたい。

森川許六《もりかわきよろく》は近江彦根の藩士で芭蕉の弟子であったが、彼が元禄五（一六九二）年八月参勤交替に従って出府、芭蕉に入門し、翌年五月に国許へ帰るとき餞別として書き与えられたのが、この「柴門の辞」であった。許六は画をよくしたので、そのことにもふれてある。五月に帰郷するにあたって芭蕉を訪ね、終日閑談をした。

その人が画を好み風雅を愛するので、芭蕉が試みに「画は何のために好むか」と問うと、「風雅のために好む」と言う。「風雅は何のために愛すか」ときくと「画のために愛す」と答える。まことに学ぶこと二つにして、用をなすこと一つである。「君子は多能を恥ず」というが、この許六の心掛けはみごとだ。ゆえに別れに臨んでこの言葉をはなむけとする。

そう記してからの文章はこうである。

予が風雅は夏炉《かろ》冬扇《とうせん》のごとし。衆にさかひて（さからって）用《もちゐ》る所なし。たゞ釈阿《しゃくあ》・西行《さいぎゃう》のことばのみ、かりそめに云《いひ》ちらされしあだなるたはぶれごとも、あはれなる所多し。後鳥羽《ごとば》上皇のかゝせ玉ひしものにも、「これらは歌に実《まこと》ありて、しかも悲しびをそふる」とのたまひ侍《はべ》りしとかや。さればこのみことばを力として、其《その》細き一筋をたどりうしなふる事なかれ。猶《なほ》、「古人の跡をもとめず、古人の求《もとめ》たる所をもとめよ」と、南山大師《なんざんだいし》の筆の道《みち》にも見えたり。風雅も又これに同じと云《いひ》て、灯《ともしび》をかゝげて、柴門《さいもん》の外に送りてわかるゝのみ。

実にいい光景だと思う。自分の風雅などは夏の炉、冬の扇のごときもので、世間の人びとにさからって、何の役にも立たぬものだ。実用に立つことなぞなく、まして名利とは何の関係もない。ただ自分は釈阿（藤原俊成）・西行にそのかされて風雅の道にとびこんだだけである。後鳥羽上皇の言葉に「これらは歌に実ありて、しかも悲しびをそふる」とある、これを力としてこの細い一筋を辿《たど》り失わないでくれ。南山（弘法）大師の言葉にも、「古人の跡をもとめず、古人の求めたる所をもとめよ」とある〝風雅の道もこれと同じことだ〟という。

『後鳥羽院御口伝』にあるのは、「釈阿はやさしく艶に心も深くあはれなる所ありき。（略）西行はおもしろく、しかも心もことに深くあはれなる、ありがたきかたも、ともに相兼ねて見ゆ」であって、それが芭蕉の頭の中では「実ありて、しかも悲しびをそふる」と形を変えて記憶されていたのである。この変形も実にいい。古人の跡をもとめず云々の言葉も、『性霊集』に「書モ亦《マ》タ古意ニ擬スルヲ以テ善シト為シ、古跡ニ似ルヲ以テ巧ト為サズ」とあるのを踏まえた言葉で、芭蕉はこんな本まで読んでいたのかと驚かされる。それをこんなふうに簡潔に自分の言葉にして記憶していたのである。

そしてわたしがこの「柴門の辞」でとくに好ましいと思うのは最後の、

「風雅も又これに同じと云て、灯をかゝげて、柴門の外に送りてわかるゝのみ。」

の一条なのである。

当時のことで、夜ともなれば深川《ふかがわ》の芭蕉庵のあたりは深い闇につつまれ、そこへ芭蕉が灯をかかげて足下を照らしながら許六を外へ送って出る。芭蕉の気持の中では今の別れは永遠の別れ、「一期《いちご》一会《いちえ》」なのである。人生に繰返しはなく、別れるときにはこれが永遠の別れとつねづね覚悟し、その気持で生きているのだ。そうやって、かすかな灯の明りに顔を見合せ、別れを告げる情景が目に見えるようである。

話はここで一挙に今のことに戻るが、近ごろはよそで話をしていると、こちらが話しているのをテープにとっている人が多い。別にだからといってぼんやり聞いているわけでもなかろうが、あとでリピートが可能だと考えて聞くときと、これ一回限りと覚悟して聞くのとでは、聴者の注意力もおのずから違ってくるだろうと思われる。

作家の水上勉さんに聞いた話だが、氏は講演中にそういう人を見るとどがめて、「出会いはつねに一期一会のものです、いまここでお会いするのが一回限りであると思ってお聞き願いたい」と、テープにとるのをやめてもらうそうだ。いかにももっともな話で、リピートが可能という考えが、今の人びとの生をどんなに浅くふやけたものにしているかわからぬと思う。そういう人にこの「柴門の辞」を読んでもらいたいものである。許六にとってこの夜のことは、芭蕉の言葉とともに記憶に強く刻まれ、思いだすたびに力づけられるものとなったはずである。

十五、野ざらしを心に風のしむ身かな

旅で死ぬ覚悟の芭蕉に見えた景色

生にリピートはなく、生きるということはそのときどきに一回限りという思いを、芭蕉はつねに心のうちで新たにしていた人だったように思われる。自分の詠み捨ててきた句はどれもが遺言である、辞世である、と言い切ったところにもその覚悟のほどがうかがえるが、彼は俳諧師の本

領である歌仙についても、

歌仙は三十六歩也。一歩も後に帰る心なし。行《ゆく》にしたがひ、心の改《あらたまる》はたゞ先へ行《ゆく》心なれば也。(『三冊子』)

と言っている。生にリピートがないように歌仙にも繰返しや後戻りはなく、新しく開ける状況ごとにまた新しく生きるだけだというのであろうか。

芭蕉は『野ざらし紀行』を初めとしていくつもの紀行文を書いた。漂泊の思いに駆られて生涯を旅にすごした人のような印象を与えているし、芭蕉といえば『おくのほそ道』というくらい彼と旅とは一体になっている感を与える。が、実際に調べてみると、たしかに彼は好んで漂泊の旅をしたに違いないが、それほどの旅をしたわけではない。旅程についていうなら中世の連歌師や遊行僧のほうがはるかにすさまじい旅の生涯を送っている。宗祇《そうぎ》などは中国、九州路にまで赴き、越後へは九回もゆき、最後の越後行の帰路、箱根湯本で病没したのだ。八十二歳であって、これなぞまさに漂泊に明け暮れた生涯である。

にもかかわらず芭蕉といえば旅、漂泊者といえば芭蕉というくらい彼と旅との印象が強く結びついているのは、旅に賭けたその心持にやはり特別のものがあったからだろう。「野ざらしを心に風のしむ身かな」と『野ざらし紀行』の初めにうたっているように、この旅でわが生涯を終るくらいの強い覚悟で彼は旅に出た。それはつねに一回限りの、繰返しのない、いわば一生を凝縮したような旅であった。そのことが芭蕉の旅をわれわれに特別に印象深いものにしているのだと思う。病弱な身は旅先のどこでいつ倒れるかわからぬ。風雨にさらされて白く野原に埋っている髑髏《どくろ》が自分かもしれぬが、それならそれでよい、というくらいの覚悟で芭蕉は旅立ったのだ。『笈の小文』の旅になると、「旅人と我名よばれん初しぐれ」と、一見自己を客観視する余裕を見せ、『野ざらし紀行』の悲愴さはないようだが、これが自分の生涯と覚悟することは変らず、だから紀行の初めにわが生涯を圧縮したような文章を残している。

かれ狂句を好《このむ》こと久し。終《つひ》に生涯のはかりごとゝなす。ある時は倦《うん》で放擲《はうてき》せん事をおもひ、ある時はすゝむで人にかたむ事をほこり、是非《ぜひ》胸中にたゝかふて、是が為に身安からず。しばらく身を立《たて》む事をねがへども、これが為にさへられ、暫《しばら》ク学《まなん》で愚を暁《さとら》ン事をおもへども、是が為に破られ、つゐに無能無芸にして只《ただ》此一筋に繫《つなが》る。西行《さいぎやう》の和歌における、宗祇《そうぎ》の連歌における、雪舟《せつしう》の絵における、利休《りきう》が茶における、其貫道《そのくわんだう》する物は一《いつ》なり。しかも風雅におけるもの、造化《ざうくわ》にしたがひて四時《しいじ》を友とす。見る処花にあらずといふ事なし。

旅立つにさいして自分のこれまでの生き方を要約し、自分は「無能無芸にして只此一筋に繫る」者にすぎないが、しかしその心はこの国の文芸の士の志したところを目ざそうとして来たのだと、いわばそういう自己を肯定し、旅で死んでもさしつかえないのだ、「其貫道する物」につながるならば、と宣言しているのである。これがわれわれを打ち、芭蕉の旅に人生を見る気にさせるのだ。

芭蕉は日本では、西行を歌聖と呼ぶように、俳諧のひじり、すなわち俳聖と呼ばれて最も尊まれて来た日本を代表する俳人だ。これはむろん彼の俳諧が言語表現の最高の域に達しているためであるけれども、それと同時に彼の文芸に対する態度が日本文化の正道を継いでいると人びとが認めたためでもあると思う。芭蕉がここで、「西行の和歌における、宗祇の連歌における、雪舟の絵における、利休が茶における、其貫道する物は一なり」と言っているのは、自分は無能無芸の身ではあるけれども志はこの一筋の道を求めて来た者、それを受け継ぐ者だ、と言っているわけで、非常に高い自負を示していることになる。

和歌、連歌、絵画、茶道とその行うところは違っても、この国における風雅の道、風雅の心には同じものが貫いているのである。それは一言でいえば、身を塵外に放って、宇宙自然の運行に身を任せることにほかならない。わが身の小さな我を放棄して大自然大宇宙に遍界する理に身をゆだねること、山川渓色、悉皆《しっかい》仏性という、その仏性に随うことにほかならない。ひとたびその界に身を任せた者にとっては、見るところ花でないものはなくなる。そう言っているのだとわたしには思われる。

わたしはいつかある雑誌の企画で、幾人かが『おくのほそ道』の旅をリレーで辿《たど》る計画に乗り、千住《せんじゅ》から黒磯《くろいそ》まで芭蕉の足跡を追ったことがあった。辿るといったってクルマでのことで、街の景色も自然も変ってしまっていて、当時の旅の不便と旅情を知るべくもなかったが、そのとき芭蕉と曽良《そら》の旅が案外にゆっくりしたものであるのに初めて気がついた。寄り道したりしてのんびりと北上しているのである。

道中も決してみじめなものではなく、行く先々に芭蕉の名声を慕って待ちうけていた人びともいたようだし、旅行記から受けるような悲愴な旅ではなかったらしいことがわかった。そのとき、では一体何が『おくのほそ道』をあのように旅情あふれる風雅なものにしているのかと疑い、当り前のことながら、それはつまり芭蕉の心ひとつに懸っていたことを納得したのであった。芭蕉の胸中の風雅が『おくのほそ道』を風雅の旅にしているのである。あの文学性は芭蕉の胸に鳴るものの表現であったのだ。

あとでわたしは芭蕉が『おくのほそ道』の旅に立つ前の元禄二（一六八九）年閏《うるう》正月、伊賀の遠雖《えんすい》あての手紙でこう言っているのを、安東次男に教えられた。安東は年来芭蕉に打ちこむこと深い人だからこういう手紙に目をつけ、芭蕉の心境を察することができたのだろう。

　去年《こぞ》たび（去年の旅。すなわち『野ざらし紀行』のあとの木曽更科《きそさらしな》への旅）より、魚類肴味《かうみ》口に払捨《はらひすて》、一鉢境界《いつぱつのきやうがい》、乞食の身こそたふとけれとうたひに侘《わび》し貴僧《きそう》（増賀上人）の跡もなつかしく、猶《なほ》ことしのたび（『おくのほそ道』の旅）はやつし〱てこも（菰）かぶるべき心がけにて御坐候。

去年の旅を終えたときから自分は魚肉を断って、あの「名聞こそくるしけれ、乞食の身こそたのしけれ」とうたった増賀上人の心境を慕っている。今年の奥州の旅は、身をやつし菰をかぶる乞食の心がけでゆく覚悟であります、というのだ。これを疑う理由はまったくない。

芭蕉の句に、「菰をきてたれ人ゐます花の春」というのがある。西行を尊ぶこと深かった芭蕉は、西行の『選集抄』という本に多くの乞食の話があるのを偲び、身を乞食になす覚悟あって初めて風雅はひらける、花の春は見えると、この句を詠んだ。「乞食の身こそたのしけれ」とは、彼の真情であったのだ。たとえ、人に手厚くもてなされることがあっても、心の覚悟は「菰かぶるべき心がけ」だったのである。

芭蕉の旅が実際は各地の俳人や豪商に手厚くもてなされての比較的快適な旅であったとしても、彼の心はすべてを捨て切って乞食に生きる無一物の僧と同じ、身にも心にも何も所有せず、全存在を造化にゆだねきった程《てい》の心境であったと思われる。まさに「造化に従ひ、造化に帰れ」であって、自然というものがこのときくらいそのまったき力で彼の心を領したことはなかったろう。『おくのほそ道』の句がみなそのことを証明しているようである。

あらたふと青葉若葉の日の光

日に照りはえる青葉若葉などは万人が感歎して眺めるところであるけれども、それを「あらたふと」という言葉で表現した者は一人もいなかった。「あらたふと」という言葉と結びつけられたとき青葉若葉は一種の宇宙的な、あるいは宗教的な感情を呼びさますものとなって、それが日光東照宮の朝への挨拶の意をふくむことなどと関係なく、日本語による最も美しい若葉の句となったのだ。現代のわれわれでも若葉を見ればこの句を思いだし、句によって青葉若葉の発するまったき力を感じる。『おくのほそ道』にはそういう種類の、一度知ったら忘れられぬ、まるでその土地の精が凝《こ》って句となったような句が多い。

夏草や兵《つはもの》どもが夢の跡
閑《しづか》さや岩にしみ入《い》る蟬の声
五月雨《さみだれ》をあつめて早し最上川
象潟《きさかた》や雨に西施《せいし》が合歓《ねぶ》の花
荒海や佐渡によこたふ天河《あまのがは》
塚も動け我《わが》泣く声は秋の風
むざんやな甲《かぶと》の下のきりぎりす

詩人の全身全霊が土地の精を感得し、地の霊が詩人の口を藉《か》りてその心をうたったような句ばかりである。まさに「造化に従ひ、造化に帰れ」であって、自然そのものが芭蕉の口を藉りて己れをうたっているようである。

旦那衆の風流な吟行のような生半可な心掛けではとうていこんなふうに純粋に造化の心を感じとることはできない。一鉢境界、旅で死ぬ覚悟の人にだけ見えたそれは景色であったと思われる。

II

十六、利に惑ふは愚かなる人なり

清貧の思想——日本文化の一側面

わたしがこの稿を書き始めたのは、自分で勝手に「日本文化の一側面」と考えるものをもっとよく確めたいという動機からだった。「日本文化の一側面」というのは、必ずしもそれが日本文化の全体ではないかもしれないが、日本文化の重要な要素をなして来たものというほどの意味で、わたしは外国で話を求められるたびにバカの一つ覚えのようにこの同じ題で話をして来た。というのも、わたしとすればこれをこそぜひ外国の人びとに知ってもらいたいと念願しているからである。

いま外国で日本についての関心は非常に高い。それは必ずしもいつもいい意味でばかりの関心ではないけれども、ともかくかれらは日本と日本人と日本文化について知りたがっていると、わたしは感じている。その理由ははっきりしている。いま地球上のどの土地にいっても日本製品が進出している。電気製品、時計、自動車その他いろんな分野で優秀な日本製品が市場に溢れているのに、それを作った日本人の姿は見えないというところから、日本とは、日本人とは一体何者だという関心が高まって来たのだ。

とくにかつての東欧圏においてそれが著《いちじる》しかった。どこでも日本について質問された。たとえば旧東独で、わたしの知人のフンボルト大学教授で日本文学通のB氏が近代日本文学のアンソロジーを翻訳出版したところ、何万部だかがたちまち売り切れたとか、ブルガリアの優秀な日本語学者C女史の訳した『とはずがたり』が、これも何万部だかすぐ売り切れたという話を聞かされたものだ。『とはずがたり』なんて古典を読む日本人はまずいまいが、そのようなものでも読まれるのである。

しかしむろん、そういう文学作品だけでは熱い関心は満足させられない。そこでたまたま訪れた旅行者たるわたしにも話を求められ、そのときわたしの話したのが「日本文化の一側面」だったのである。

なぜわたしがわざわざこういう話を選んだかについては、わたしなりの考えがあった。というのは、わたしは比較的外国旅行をするほうだと思うが、EC圏だとか東南アジアに旅行をするたびに日本と日本人についての批判を聞かされることがあまりに多かった、それも悪口を聞かされるほうが多かったからである。これらの国々では、旧東欧圏と違って大勢のビジネスマンや旅行者が出掛けているから、かの地の人はそれを見、その言動に腹を立てて、わたしにまで抗議するのである。

それらの土地でよく聞かされた意見はたとえばこんなものである。不愉快だが、真実でないとは言い切れないので記すと、

——曰く、日本は輸出大国だなどと誇って外国市場を荒すだけで、自国の利益しか考えない。たしかに日本製品は、自動車、電気製品、エレクトロニクス、時計、カメラ、何でも優秀で安い。

それは認めるが、いい物を安く売って何が悪いという態度が露骨で、少しもこちらの事情への配慮がない。これではとても共存できぬ。このままでは日本は世界中の嫌われ者になるだけだろう。

——曰く、日本人はビジネスマンも旅行者も会って話をすると金の話しかしない。一体かれらには金儲け以外に関心がないのか。政治、音楽、国際関係、哲学、民族問題、歴史などについてはかれらは話すことができないかのようだ。まるで金のあるなしだけが人間の価値をきめると信じているかのようだ。

——曰く、若い女までが大金を持って来てブランド製品を買いまくる。土地の歴史とか文化への関心をほとんど示さない。自分たちの流儀でふるまい、騒々しく、みっともない。日本の若者はみなあんなふうに自分のことしか考えないエゴイストなのか。

——日本人で自分の哲学を持ち、自分のライフスタイルに自信を持って、何事についても一見識あるような人をめったに見たことがない。パーティで土地の人間と対等にいろんな話のできる者も少い。自国の歴史についても無知だ。

——曰く、貧しい国の人間に対して日本人はなんて傲慢《ごうまん》なんだ。自分は富んでいるからどんなことをしても許されると思っているのか、等々。

不愉快だからこれくらいで止めるが、そういう意見を聞かされるたびにわたしは情なくなり、かれらの言い分をある面では認めざるをえないのが口惜しく、いや、現在はそういうタイプの日本人がいるかもしれないが、日本人は昔からそんな人間ばかりじゃないのだ、日本人にはまったくそれとは違う面があるのだ、と話して来たのが「日本文化の一側面」だったのである。

効率的な生産第一主義で物の生産にばかり偏《かたよ》ってしまったのはせいぜいこの半世紀くらいの現象で、それも元はといえば敗戦ですべてを失い、少しでもいい生活をと追求して来た結果である。実際われわれは廃墟《はいきょ》の無一物から出発せざるをえなかったのだから、物資至上主義になったのもやむをえない面はあるのだ。が、それだけではいけないことにわれわれはいま気がつきだしている。

日本は経済大国になったといっても、それで日本人の生活がゆたかになったわけではなかった。余裕ができたわけでもない。むしろワーカホリックといわれるくらい働きつづけねばならず、狭い家に住み、満員電車に乗って長距離通勤し、夜遅くまで働かねばならぬ現状は、あなた方も知っているだろう。過労死という言葉さえあるくらいだ。

たしかに物はゆたかになった。EC圏のどの国にも劣らぬくらい市場に物は溢れている。しかし、物の生産がいくらゆたかになっても、それは生活の幸福とは必ずしも結びつかない。幸福な生のためには物とちがう原理が必要であることにわれわれはいまようやく気がつきだしている。

いや、むしろ物にとらわれる、購買、所有、消費、廃棄のサイクルにとらわれているかぎり、内面的な充実は得られないことに気づきだしている。限りない物の生産と浪費が地球上での共存の上からも、環境と資源保護のためにも許されないことを知っている。真のゆたかさ、つまり内面の充実のためには、所有欲の限定、無所有の自由を見直す必要があると感じている。人が幸福に生きるためには一体何が必要で、何が必要でないかと、大原則に戻って考え直そうとしている人が大勢出てきている。

日本にはかつて清貧という美しい思想があった。所有に対する欲望を最小限に制限することで、逆に内的自由を飛躍させるという逆説的な考えがあった。その話をしよう。

ということで、わたしは「日本文化の一側面」の話をするようになった。

そしてたとえば『徒然草』の次の一段をもって話を始めたのであった。

名利《みやうり》に使《つか》はれて、閑《しづ》かなる暇《いとま》なく、一生《いつしやう》を苦《くる》しむるこそ、愚《おろ》かなれ。財《たから》多ければ、身《み》を守《まも》るにまどし。害《がい》を買《か》ひ、累《わづらひ》を招く媒《なかだち》なり。身の後《のち》には（死後は）、金《こがね》をして北斗《ほくと》を挂《さゝ》ふとも、人のためにぞわづらはるべき。愚かなる人の目をよろこばしむる楽しみ、またあぢきなし。大《おお》きなる車、肥《こ》えたる馬、金玉《きんぎよく》の飾《かざ》りも、心あらん人は、うたて、愚かなりとぞ見るべき。金《こがね》は山に棄《す》て、玉《たま》は淵《ふち》に投ぐべし。利に惑《まど》ふは、すぐれて愚かなる人なり。

（第三十八段）

これは十四世紀の吉田兼好という人によって書かれたエッセイの一章ですが、この『徒然草』という本は、以来モンテーニュの『エッセイ』のように日本人に愛読されて来た、日本人の趣味や判断に大きな影響を与えた古典です。ここにある、世俗的な名誉とか地位とか財産とかに心を労して、静かに生を楽しむ余裕もなく、一生をあくせく暮すなどは実に愚かだとする考え方は、その後の江戸時代を通じて、日本人の生き方に大きな影響力を与えて来ました。

兼好はここでは、金儲けのためにしか関心のない人の愚かさを説いている。現代の、住宅だのいいクルマだの、次から次へ開発される製品の所有などにとらわれている人の愚かさを言っているのと同じですが、こういう考えがいま新しくわれわれを打つのです。

彼はつづけて、地位とか官位とか名声とかを求めることの愚かさを説く。さらに世間の評判を得るため知識と学問とを誇ることがいかに空しいかを説く。そして最後にこう言っています。

まことの人は、智もなく、徳もなく、功《こう》もなく、名《な》もなし。誰《たれ》か知り、誰か伝へん。これ、徳を隠し、愚を守《まも》るにはあらず。本《もと》より、賢愚《けんぐ》・得失《とくしつ》の境《さかひ》にをらざればなり。(同右)

真の人間は利得とか名聞とかそんなものにかかわるところにいない、ただ己れの心の充実を求めるのみなのだ、というのです。

このような考え方は、ある意味では、アッシジのあの聖フランシスコの考えにも通じると言えましょう。聖フランシスコは神の前に心の充実を求めたのですが、兼好は神とは言っていないものの、そういう世俗を離れた絶対者の前で恥じぬ生き方こそ賢い人の生き方だと考える点では同じでした。そして大事なことは、十四世紀においてばかりでなく、この『徒然草』に見られる考え方が、品を変え様を変え、いろいろな人によって肯定され、実践され、日本の文芸の基本的な思想として、以後ずっと受け継がれ、生きつづけて来た。文人ばかりでなく名もない生活者も、こういう生き方をよしとし、それが一つの伝統にさえなったということです。

わたしがここで紹介するのは、日本で歴史上最も著名な代表的文人たちばかりでありますけれども、かれらの思想と生き方はかれらだけに限られたものではありません。代々それらの和歌や俳句は一般の生活者に親しまれ、詩を通じて人びとはかれらの境地を偲《しの》び、みずからもそういう心根で生きたいと願って来たのでした。あとでそのことにも触れますが、わが国にはこういう文化の伝統があった、いまもあることは知っていただきたい。

と、わたしはまずそんなふうに紹介することから始めたのである。

この話は通じることもあり、ぜんぜん反響を呼ばないこともあった。東欧では清貧とただの貧乏とどう違うのだという質問も起った。が、現代の日本人の平均的な生き方、考え方や、現代社会の姿をまず話してから、かつてあったこういう伝統に話を進めると、その場合は大方は納得してもらえるようであった。

わたしは実は内心では、外国人に日本の伝統の話をしながら、これこそがこれからのわれわれ日本人の生き方の原理になるべきではないか、われわれが真のゆたかさを求めるならこういう先人たちの生を参考にする必要があるのではないか、と考えていた。だから日本にいて話を求められた場合も、なるべく具体的に『本阿弥行状記』の話だの何だのをとっかかりにそれについて話して来たのだが、何分《なにぶん》にも人前の話では意をつくせない。また自分の考えをもっとくわしく確める必要をかねて感じていたので、いま文章でそれを確認しているのである。

十七、永遠の生と出会うために

古代インド哲学と良寛の同質性

清貧とはたんなる貧乏ではない。それはみずからの思想と意志によって積極的に作りだした簡素な生の形態です。本阿弥光悦やその母妙秀のように、もしかれらが欲するならいくらでも贅沢な生を送れたであろうに、かれらはそれをきらい、必要最小限の生を選びました。それはなぜか。アッシジの聖フランシスコ（一一八二〜一二二六）が金殿玉楼《きんでんぎょくろう》の生を捨てて無所有の草庵に投じたのは、そういう生き方が神に近いと信じたためであったように、かれらもまた別のルートから同じような結論に達したからでした。

そこにはまず所有のもたらすさまざまな悪い影響についての、非常に行きとどいた省察《せいさつ》があったと思われるのです。富貴《ふうき》への願望、所有への欲望が旺《さか》んであればあるほど、人は財の増大が唯一の徳であるかのような錯覚に陥って、所有の上にも所有を欲し、そのためにはいかなる非人間的な所業をもあえて行うようになります。われわれは最近も、一九八〇年代のいわゆるバブル経済の繁栄の中でそういう欲望の奴隷になった連中を多く見たばかりです。

と、わたしはまず清貧の何たるかについて説明する必要があった。清貧という言葉はいまは日本語でもなかば死語となっているし、これを外国語で純粋なる貧しさと訳してもなかなか真意を理解してもらえなかったからである。清貧とはみずからの思想の表現としての最も簡素な生の選択であると言いかえる必要があった。そしてそれをまず説明してから、江戸時代初期における本阿弥一族の生き方と考え、あるいは『徒然草』の文章をひいて、所有欲が人間に及ぼすさまざまな悪い影響についてかれらがどう考えていたかを説かねば話が通じなかった。現に貧困に苦しむ人の多い国では、だれもがまず充分な所有をこそ欲し、清貧などという話に耳を傾けてもらえなかったからだ。

ひとたび所有欲にとりつかれると、人は所有の増大にのみ関心を奪われ、金銭の奴隷となって、それ以外の人間の大事に心が及ばない。家族への配慮とか愛とか慈悲とか、人間としての最も大事なことにさえ気が向かわず、富貴な人は必ず慳貪《けんどん》になる、と妙秀が考えていたことは先に言ったとおりです。そればかりでなく、かれらは物の取得や保全に心を奪われて、みずからの精神の自由をさえ失っている、と光悦は考えていました。だから彼は最上の茶器でさえも、「やれ落すな、やれ失くすな」と気を奪われるのがうるさいと、すべて人に与えてしまったくらいです。

所有を必要最小限にすることが精神の活動を自由にする、所有に心を奪われていては人間的な心の動きが阻害される、ということにかれらはいち早く気づいていたのだと思います。『徒然草』が説くところも重点はそこにあった。

そしてこの所有についての考察はさらに、生をミニマムにすることによる精神の自由、創造力の増大という方向へ、積極的な原理として認められていったように見えます。池大雅の金銭にたいする驚くべき無欲さのエピソードは先に話しましたが、彼の画の脱俗と高雅とはその無欲さによって初めて可能だったのです。俗っ気を去るということは、俳諧でも第一の原理となった。芭蕉は托鉢乞食の心こそ貴いとまで言い切っています。良寛の詩歌や書の高雅は彼の草堂の暮しをぬきにしては考えられますまい。

地上の生を最も簡素なミニマムなものにすることによって初めて宇宙の原理たるものに通ずる可能性がひらかれる、とかれらは考えていたに違いないとわたしは思う、とわたしは話を進めていった。さもないと、なぜこれら日本の優れた精神たちが清貧の生を選ぶにいたったのか、その積極的《ポジテイフ》な理由を理解してもらえなかったからだ。そしてこうつづけた。

わたしはインドの宗教哲学にはほとんど無知な者ですが、そのわたしでも同じアジア文明のうちにいる者として、かれらが人間のうちなるアートマンと宇宙の原理たるブラフマンとの全的合一を理想としていたことは聞いて知っています。古代インドの宗教家たちは、宇宙の精髄をなす原理をブラフマンと名づけ、その原理と同一性質のものは人間の中にもあってアートマンと呼んだ。が、そのアートマンという聖なる光は、ふだんは人間のさまざまな欲望によって覆われ、隠れていて顕《あらわ》れない。それを輝き出させるには、肉欲、物欲その他もろもろの欲望を断ち切って、人身を清浄ならしめなければならない。それが修行である。修行を積んで人身を空虚清浄にしたと、アートマンはブラフマンと合一して、電気に貫かれたように人は永遠の生の光に浴すると、かれらは考えていたのでした。

たとえば近代インドの偉大な詩人タゴールは、『サーダナ』と題した話の中でこう言っています。少し長いけれども、これは仏教を通じて日本文化にも大きな影響を及ぼした思想であるので聞いていただきたい。

「インドにおいては、万物が根本において一体であるとする生命観はたんに哲学上の思弁ではなかった。この大いなる調和を感情と行動の中で実現することが、インド人の人生の目的であった。インドは瞑想《めいそう》と奉仕活動によって、また生活の調整によって自己の意識を鍛練してきたので、自分にとってすべてのものが精神的な意味を持つようになった。大地、水と光、果物と花などはインドにとって、用があれば利用し、用がすめば捨ててかえりみないといったたんなる自然現象ではなかった。これらのものはインドにとって一つ一つの音符が交響曲全体のために必要であるのと同じように、自己の完全な理想に到達するために必要不可欠のものであった。（略）人は世界との血族関係を実感しないときには、よそよそしい壁をめぐらした牢獄の中で暮らしている。けれども、あらゆる事物のうちで永遠の霊に出会うとき、人は生まれてきたこの世の真の意義を見出すので、囚《とら》われの状態から解放される。そのとき人は自分が完全な真理のうちにいることに気づく。こうして、人間と万物との調和が打ち立てられるのである。」

「それは個人を制限する柵を越えること、人間以上のものになること、『全一者』と一体になることであった。それは想像力のたんなる戯《たわむ》れに耽《ふけ》ることではなく、自己のすべてのごまかしや誇張から意識を解放させることであった。これら古代の予言者たちは心の澄んだ深みの中に、宇宙の数限りないものの姿の中で打ちふるえ、過ぎていく同じエネルギーがわれわれの内面世界で意識となって現われるのを感じた。そしてそれらが乱れることなく調和しているのを感じた。この予言者たちにとって、完全性への明るいヴィジョンの中にはいかなる裂《さ》け目《め》もなかった。彼らは死さえも、現実の中に深い裂け目を刻み込むものとは認めなかった。彼らは言った。『死の中にも、不死不滅の中にも、それが映っている』と。」(タゴール『サーダナ』美田稔訳　第三文明社)

　これがタゴールの描くブラフマンとアートマンとの全的合一の内的映像です。

　ブラフマンは漢語で梵と訳され、アートマンは我と訳され、この内的合一は梵我一如の境として日本に伝えられました。芭蕉が「造化に従ひ、造化に帰れ」と言ったのも、「松の事は松に習へ、竹の事は竹に習へ」と言ったのも、この境地を言ったのであろうとわたしは思います。タゴールはさらにこういう合一体験をするには犠牲をはらわなければならない、その犠牲とは自己放棄であると言っています。

「この犠牲はどのようなものか。それは自己放棄である。われわれの魂が自己を実現しうるのは自己を放棄することによってのみである。ウパニシャッドは述べている。『おまえは放棄することによって獲得せよ。』『他人の物をみだりに欲するなかれ。』」

「わたしが所有するものはわたしを制限するものである。富の蓄積に熱中している人はたえず膨張する自我のために、完全な調和の世界である精神の世界を理解するための門をくぐることができない。このような人はみずからの限られた獲得物の狭い壁の中に閉じ込められている。」（同右）

どうでしょう、わたしがこれまで話してきた日本の昔の優れた芸術家たちの思考と古代インドの思考とは、まさに両々ひびきあっているかのようではありませんか。かれらもまた所有が人間を制限する、所有欲にとらわれていては所有の狭い壁に閉じ込められて精神の門は開かれない、と考えていたのです。小さな我執《がしゅう》を捨て去って初めて宇宙の光に浴することが可能になることを知っていたのです。松も竹も、花も果物も、山も川も、この地上にあるものすべてに宇宙の原理は顕現《けんげん》していると悟っていたからこそ、小我を捨てて天地と合体する大道を選んだのです。かれらが地上での生をミニマムにまで縮小し、物欲を捨て、清貧を愛したのは、そういう積極的な理由があったからでした。

大体こんなふうに話してくると、ここまで来てようやく「清貧」という言葉でわたしが何を言おうとしているかを察してもらえだすようであった。それまでは「清貧」は消極的な禁欲原理としか受取られず、それがアジアの汎神論的な感性をもととした積極的な宇宙との一体化原理であるとまではかれらには想像もできなかったのである。植物も動物も、花も鳥も、山も川も、すべてが人間と同等な生命の顕現であると感じる感性を、とくにヨーロッパ人に理解してもらうのはむずかしい。かれらは人間を自然に対して優位に立つ存在と信じ、自然は人間が管理し従わせるべき対象とこそ見做すが、そこに人間と同質の神性を認めることなど及びもつかない。たとえば、われわれは高山をとくに神性の顕現と認め、「お山に参詣する」が、かれらは高山を「征服」すべき対象と感じるらしいところからも、その感覚の違いは明らかだ。そこでわたしはさらにこういうふうに説明しなければならなかった。

みなさんの中には日本式庭園を見た方もいるでしょうが、あれはまったくヨーロッパ式庭園と違う原理で作られています。われわれが庭園に求めて来たのはあるがままの自然の再現です。日本の昔の巨匠たちはそこで庭園の中に池を掘り、山を築き、松や竹や、桜や楓《かえで》や、自然界の植物を植え、能《あた》うかぎりそこに、人間の手で作ったものでありながら人為の影を残さない小宇宙を作ろうとしました。修学院離宮とか桂離宮とか、江戸時代初期に作られた庭園で今に残されているものを見れば、一目でそのことが納得されるでしょう。

これに反しヨーロッパの庭園は、たとえばウィーンのシェーンブルン宮殿の庭園がそうであるように左右対称のシンメトリックな作りで、幾何学的な整然たる秩序の実現を目指しています。木々は徹底的に刈り込まれ、もはや樹木としての元の形をとどめぬくらい人為的な形態にされているし、池は完全な円形か四角形で、噴水も人力を誇示するものです。つまりそこでは自然は徹底的に人間に支配管理されていて、その支配と管理がみごとに行われていることにあなた方は美を感じているようです。

あのシェーンブルン宮殿やヴェルサイユ宮殿の庭園を見たときわたしは、しかし、そこにただ王侯による富と力の誇示しか感じませんでした。かれらは自然をさえも完全に支配することで、その力が神に匹敵するくらい強いことを示したがっているのか、と思ったほどです。

この感性の違いは非常に大きく、根本的で、わたしはここで西欧文化と日本文化の比較論をやろうとは思いませんが、わたしの好みからいえば、わたしはシェーンブルン庭園の整然たる秩序に感心はするが美しいとは感じない。だいたいわたし以上の年輩の日本人ならたぶんそう感じるはずで、いつか同胞の老年の教授をシェーンブルン庭園に案内していったら、教授は庭園全体を見下ろす台に立って見回し、「ふん、これだけのものか」と言って、それ以上見て回ることを拒否したものでした。そして帰りの車の中であれに較べたら日本の庭園がどんなに美しいかを縷々《るる》力説していました。

この老教授の意見はわたしにも納得のいくもので、日本の住居は庭園ばかりでなく家屋も自然にたいして同化しようとしているのです。西欧の家屋が外部に対して内部を閉し、自己防衛的、閉鎖的であるのにたいし、日本家屋は広い開口部を設けて自然に向って自己を開放しています。内部にも閉鎖空間を作らず、襖《ふすま》あるいは障子《しょうじ》といった自由な間仕切《まじき》りによって区切られるだけで、ふだんはそれも開放され家の中全体が外の自然とつながりあっています。風も光も自然はその表情をそのまま家屋の中に持ちこみ、人は家の中にいても自然の変化をともにできるのです。日本の気候が温和だからできることですが、われわれはそういう自然と一体になった住居を理想として来たのでした。だからそれは草庵の思想の延長といってもよかったでしょう。

現在、日本では家屋は財産にして消費材と見做され、建てかえるときなどは大型クレーンで一挙に叩き潰し、全部を同じ一つのゴミにしてしまいます。建てかえ作業のたびにそういう無残な光景に接してわたしは悲しくなりますが、かつては絶対にそんなことはしなかった。瓦は瓦で一枚一枚丁寧にはがし、古瓦ですが使用に耐えうるかぎり安建築用に再利用したのです。柱も桁《けた》も貫《ぬき》もすべて木材部は解体し（解体しうるように組立てられていました）、もう一度別のところで組立てて使いました。

家屋はそんなふうに、自然に対して開放され自然とともにあると同時に、解体再利用されうるものとしてもあったわけで、われわれの祖先はおよそものをムダにすることがなかったのです。

われわれの祖先は自然と同化し、自然の中にあってその幽気《ゆうき》にひたることを好んだのです。池大雅は南画といわれる中国の山水画を学ぶところから出発し、彼もまた好んで深山幽谷《しんざんゆうこく》の中に仙人（脱俗の人びと）が住む風景を描きました。その画題はもと中国の文人に好まれたもので、中国文化にも自然との合体をよしとする風があったわけですけれども、大雅とその時代の人びとは、自然の中の亭《ちん》という小さな住居に住み、利得の世間から遠く離れて脱俗の生活をすることを、なによりもの理想としたのでした。

同じ感性は詩歌にもよくあらわれています。前にもお話しした良寛という詩僧の歌にこういうのがあります。

むらぎもの心楽しも春の日に鳥のむらがり遊ぶを見れば

むらぎものは心にかかる枕詞で、言葉の調子をととのえるためのもの。歌意は、わが心は楽しく満ち足りてくるよ、春の日に鳥の群れ遊ぶのを見ていると、というのですが、単純でいて充実し、まことに快い歌です。良寛を尊敬すること深かった歌人の吉野秀雄はこの歌について、「音楽的で宗教的で、ヨハン・セバスティアン・バッハの曲を聴くような感味がある。こういう歌に昂奮しない人は、結局良寛の歌には無縁だ」と言っています。

そして事実この歌を口ずさんで味わっていると、わたしなども実にいい気持になり、良寛とともに鳥たちの遊んでいる姿に春が来たよろこびを感じる気がするのです。わたしは小鳥に説教したという聖フランシスコもこんな気持であったろうか、と想像したくなります。良寛は完全に小鳥と自己とを一体化していることがおわかりでしょう。良寛はこういう歌をいくつも歌っています。

草の庵《いほ》に足さしのべて小《を》山田《やまだ》の山田のかはづ聞くがたのしさ

草の庵に足さしのべて小山田のかはづの声を聞かくしよしも

前者は、わが住む草庵の中で誰に気がねすることもなく、優游《ゆうゆう》と足をさしのべて、山田で鳴く蛙の声を聞いているると心が楽しくなってくるの意。後者もほぼ同じで、山田の蛙の声を聞くのはまことに満ち足りた思いのすることだの意。解釈しても歌の妙味はわかりませんが、これもまた口ずさんでいると、粗末な草庵の中にあって（草庵だからこそ自然に対してひらけている）、蛙の声を聞きながら、足を伸ばし、充実したよろこびを感じている良寛の気持が伝わってくるようです。ともに前に紹介した良寛の「生涯身を立つるに懶《もの》く」に始まる詩の結句、

夜雨　草庵の裡
雙脚　等閑に伸ばす

とひびきあっていて、良寛にとってはこういうときこそ生きてあることの喜びを感じるとき、『徒然草』のあの「存命の喜び、日々に楽しまざらんや」のときであったことがわかるのです。

岩室《いはむろ》の田中の松を今日見ればしぐれの雨にぬれつつ立てり

田中の松とは良寛の草庵の近くにあった松のことで、その松がしぐれの中にしとどに濡れて立っていることよと、松を観るにも人間に対するのとまったく同じ感情をもって接しているのです。鳥でも蛙でも松でも、自然界のすべての存在が、彼には自己と等しい尊い生ある存在と感じられていたことがわかります。

そうなのです。われわれの感性はこういうふうに自然と同化することをよしとして来たのです。

シェーンブルン宮殿のように、自然を征服し従わせるのをよしとはしなかった。人間も樹木も鳥も獣も、生あるものはすべてわが同類である。同じ仏性の中にあるものであると感じて来たのです。「山川渓色、悉皆《しっかい》仏性」という言葉が仏教にありますが、存在はすべて大きな仏性の中にあると感じるのが、われわれの感性の自然なのでした。

ゆくさくさ見れども飽かぬ岩室の田中に立てる一つ松あはれ

これも同じ松をうたったもの。また短歌と違う旋頭歌《せどうか》にもこういうのがあります。

岩室の田中に立てる一つ松の木
今朝見ればしぐれの雨にぬれつつ立てり

やまたづのむかひの岡にさを鹿たてり
神無月《かみなづき》しぐれの雨に濡れつつ立てり

また長歌にも同じ松をうたったものがあって、一本だけ立つ松の古木が良寛にはよほどに共感を呼ぶ対象であったようです。

いはむろの　たなかに立てる
ひとつ松の木　けさ見れば
しぐれの雨に　濡れつつ立てり
ひとつ松　人にありせば
笠かさましを　蓑《みの》きせましを
ひとつ松あはれ

こういう歌や旋頭歌、長歌を読むと、良寛がどれほど自然の中にあって自然と交流し、事物を通じて永遠の霊と会話を交わしていたかがわかろうかと思います。日本文化が理想とした生き方の一つのみごとな例がここにあります。池大雅が描いた山中の仙人図のように、身をもって山中の草庵に住み、托鉢乞食の生を送りながら、心のうちでは大きな宇宙に自在に遊び、大自然の精をともに呼吸している人物が、ここにいたのです。

人間をあらゆる被造物の中の最も優れたものとして、自然を征服し人間に従わせるという考え方は、人間の傲慢であるとわたしは思う者です。自然を対象化して切り刻み分析し利用するという態度から、近代科学文明が発達し、われわれはいまその恩恵を蒙《こうむ》っているのですが、その科学文明がいかに地球を傷つけ破壊してしまったかをも一方では見ています。そこから自然保護とかエコロジーとかが叫ばれだしたのですが、自然をこのように友として来たわれわれからいえば、そもそもの根元が間違っているからであって、自然に対する態度を変えないかぎり根本的な解決はないだろうと思われる。その意味でもわたしはわれわれの先祖のこの自然に対する姿勢、心の持ちようは、もう一度見直すに値すると信ずるのです。自然を征服するよりこのほうがどんなに美しいか知れないではありませんか。

十八、さびしさに堪へたる人のまたもあれな
花を愛し孤独に耐えきる西行

これはしかし良寛ひとりのことではありませんでした。われわれの遠い祖先がすでに同じような感性を持っていたことは、八世紀に編《あ》まれた『日本書紀』という古い歴史書の中に、こういう歌があることでもわかります。良寛はこれを学んだのかもしれない。

尾張に　直《ただ》に向へる
一つ松　あはれ
一つ松　人にありせば
衣《きぬ》着せましを

太刀佩《は》けましを

古代人だからこそ一段と顕著かもしれませんが、古代よりこのかた、われわれの祖先は昔からこのように大自然を友とし、共感して生きて来たのでした。

芭蕉が「歌に実ありて、しかも悲しびをそふる」と崇《あが》めた十二世紀の大歌人西行は、そういう感性を至高の歌に結晶させた詩人の一人でした。芭蕉にふれた以上は、彼が最も尊敬したこの歌人にもふれないわけにはいかないでしょう。

西行《さいぎょう》（元永一～建久一 一一一八～一一九〇）はもともとは佐藤兵衛尉義清といって徳大寺家という貴族に仕える武士、しかも「重代の勇士」といわれたほど武勇にすぐれた名門の武士でした。家も富み何不自由ない身であったのでしたが、聖フランシスコと同じように若くして感ずるところあって、そういう世俗の生を捨て、出家して、生涯を歌人として生きた人です。その歌は時代をこえたすぐれたものであったので、当時のやはり歌人であった御鳥羽上皇に、「西行はおもしろく、しかも心もことに深くあはれなる、ありがたきかたも、ともに相兼ねて見ゆ」と絶讃され、その言葉を芭蕉が「歌に実ありて、しかも悲しびをそふる」と自分の言葉にして崇拝したのでした。

その西行が四国へ旅したとき、弘法大師という昔の聖者のゆかりの地に草庵を結んで、秋から冬にかけてすごしたことがありました。その草庵を去るとき、「庵の前に松の立てりけるを見て」と前書をつけてこんな歌を詠んでいます。

久《ひさ》に経てわが後の世をとへよ松あとしのぶべき人もなき身ぞ

ここをまたわが住み憂くて浮かれなば松はひとりにならむとすらむ

そこは草庵ですから不便で粗末な住居であったのは当然ですが、語る相手もなく非常に孤独な生活だったのです。おそらく沈黙の行をつづけるような毎日だったでしょう。そういう中で庵の前に立っている松だけが友だった。だから前者では、自分と同じように孤独に立っている松に向って、おまえは時を経て生き長らえるであろうが、そうしたら、死んでも跡を偲《しの》んでくれる者もないわたしの後世をとぶらってくれ、と心を許す友に語りかけるように呼びかけているのです。後者では、ここにいてもあまりの孤独にたえかねて、またよそに浮かれ出てゆく自分だが、自分が去ったら松よ、おまえはまったくのひとりになってしまうのだなあ、と語りかけています。たんなる擬人化《ぎじんか》というのではない、松が本当に自分の友、自分と同じ存在と感じられている歌です。

孤独のあまりよそに浮かれ出ていきたくなるが、浮かれ出ればそれがまた孤独を深めることになるという西行の孤独感の深さと、そういう中で自然と共感する心とが、よくわかる歌ではありませぬか。そして西行はそういう孤独な境界のさびしさを、それが心を深めるゆえに好んでもいたのです。

とふ人も思ひ絶えたる山里のさびしさなくばすみ憂からまし

自分を訪ねてくる人もないと断念し切ったこの山里の住居は、さびしさこそが友であって、山里のさびしさがなかったら住み憂いことであろう、というのです。

さびしさに堪へたる人のまたもあれな庵ならべん冬の山里

『新古今集』という勅撰和歌集にも選ばれた西行の有名な歌ですが、西行はここでは自分を「さびしさに堪へたる人」と見做しています。そしてさびしさを一入《ひとしお》深く感じさせる冬の山里の中で自分はそのさびしさに堪えているが、この自分と同じような人がいればいい、そうしたら庵を並べてその心境を友にするものを、というのです。彼の願望の強さは、「またもあれな」と感動をあらわす助詞を二つも重ねたところによく表現されています。一読、まことに心に深くしみ入る歌です。

西行にとってこの「さびしさ」は、人生を深く生きれば生きるほど向いあわねばならぬ存在の孤独に発し、醒《さ》めた心に必然的に付随するものでありました。『徒然草』にある「まぎるる方なく、ただひとりあるのみぞよき」とそう遠くないところにある心境で、よほど強靭な精神でなければ、このような不便、覚醒、孤独、さびしさに耐えられなかっただろうと思います。草庵の生活者は兼好でも良寛でもみな、甘ったれたところのない勁《つよ》い精神の持主でした。

そしてこういう生活を送った西行が地上において最も愛し、美しい女性に恋するように焦れたのが、花、つまり桜の開花でした。日本の詩歌は昔から雪月花《せつげつか》をうたうのを常道として来たのですが、その中でも西行の花への愛着は一種異様な趣きを呈しています。専門家の調査によれば彼の歌集（『山家集』という）の中で一番多くうたわれているのが桜で二百三十回、次が松で三十四回、梅が二十五回、萩が二十一回、いかに彼が桜を好んだかがわかります。

その西行の花の歌を少し丹念に見てみましょう。そうすれば日本人がどうして花を愛したか、花に対するわれわれの祖先の心根はどのようなものであったかがわかりましょうから。

なおついでに申し上げておくと、ヨーロッパで見かける桜は実をとるための植物で、花は淋しいような真白い花ですが、日本の桜、とくに吉野のそれは、淡いピンク色で、それが夥《おびただ》しい花をいっせいに枝一杯につけたさまは、華《はな》やかで、豪奢《ごうしゃ》で、比類のない美しさです。そういう花を思い浮べていただかないと、西行のこの花に恋うる心は理解できないかもしれません。

吉野山こずゑの花を見し日より心は身にもそはずなりにき

吉野山に咲いた梢の桜の美しさに打たれた日から、桜にあくがれる自分の心は、まるで身から離れてしまったようだ、というのですが、この時代の人は、霊魂ははげしく他のものに恋い焦れるとき身体から遊離して「あくがれいづるもの」と考えていたのです。梢の桜が余りに美しいので、自分の魂は自分を離れて桜のあたりを漂っているという、まるで恋に心を奪われたような状態をうたったものです。

あくがるる心はさてもやまざくら散りなむのちや身にかへるべき

桜の咲いているあいだ、心は身体から花にあくがれ出てやまず、山桜が散ってようやく身に返ってくるのだろうか。「さても止まず」と「山桜」とを掛けてうたっていて、こういう技巧は新古今時代の歌人が好んで使ったものでした。

たぐひなき花をし枝に咲かすれば桜にならぶ木ぞなかりける

西行がいかに桜の花を貴いものに思っていたか、「桜にならぶ木」なぞないというこの断言からもうかがえます。おそらく世界中で桜をこのように高く評価し、その花を美そのものの顕現と見る民族は、日本民族しかいないでしょう。そしてこの気持は十二世紀の歌聖だけのことではなく、以来ずっと現代のわれわれにいたるまでの心性として引き継がれて来ているのです。桜の咲くころあなた方が日本を訪れたら、満開の花の下で酒宴をする人びとをいたるところに見て驚かれるでしょう。まさか西行のように魂が身から離れてあくがれいづるほどではありませんが、花を見れば心がゆらぐ思いはわれわれにも確かにあります。

おぼつかな春は心の花にのみいづれの年か浮かれそめけむ

春、桜の花が咲くころになるとわが心はあやしくも不安定になる、こんなふうに花にのみ心を奪われ、花を尋ねてあちこち浮かれ出るようになったのは、いつの年からであったか。「おぼつかな」という言葉は「おぼつかなし」、心もとないの意で、ぐらぐらと不安定になる状態を言い、この言葉を初句とした歌を西行は多くうたっていますが、彼は心を凝視する人でありましたから、まずわが心の状態をそううたい、それから一気にあとを詠みいだしていて、強くしなやかな調べになっています。

「浮かれいづる心」の状態を西行はこれまたよくうたっています。

浮かれいづる心は身にもかなはねばいかなりとてもいかにかはせむ

わが身から抜け出てあてもなく浮かれてゆく心は、わがことながら自分でもなんとなるものではない、その果てはどうなろうともどうにもならないことだ。花に、月に、旅に、自分でもどうしょうもなくあくがれいづる心を西行は持っていて、それを「浮かれいづる心」と呼んでいたのです。彼を駆り立てて現世を捨てさせたのも、この心の働きであったのでしょう。ドイツ語でFernweh（知らぬ方への憧れ）という心持に通じるかと思いますが、そういう心と己れに帰って己れを凝視する求心力とのあいだに、西行の詩の世界は成立していると言っていいかもしれません。そしてそういう揺れ動く心の状態の最もあきらかにあらわれたのが、桜に対したときであったのでした。

花みればそのいはれとはなけれども心のうちぞ苦しかりける

みごとに満開している花を見ると、あまりの美しさに理由もなく心のうちが苦しくなってくる。それほどまでに花に全身全霊を奪われ魅せられた西行だったのです。

木《こ》のもとの花に今宵は埋《うづ》もれてあかぬ梢を思ひあかさむ

今宵は桜の木の下にあって、散ってゆく花に埋もれて、なお見倦《みあ》きることのない花を思って過そう。これほどまでに花を愛した西行は、死ぬならば花の下でとさえ思いつめていました。

願はくは花のしたにて春死なんそのきさらぎの望月のころ

死ぬときが来たらこの美しい花の下で春死のう、釈迦が入滅したという二月十五日ごろに。そして事実この願いどおり西行は、建久元（一一九〇）年二月十六日に亡くなって、人びとを感動させたのでした。

まさに異常というしかない西行の花への恋ですが、ここまで見てくれば、西行にとって花とはただの花ではなく、花はほとんど何か別のものの象徴ではなかったかという気がしてくるでしょう。それが何であったかについてわたしの考えもありますが、前にもとりあげた上田三四二が死ぬ前に「地球浄土」というエッセイで西行について書いていることをここに紹介しておきましょう。彼は「地上一寸《いっすん》に浮く心」という面白い考えを展開しています。

「いま私は、西行をつぎのように理解している。

西行は現世に浄土を見ようとした人だ、と。

西行の求めた法《のり》の道は、現世における浄土現成《げんじょう》の夢にほかならなかった。西行に後世《ごせ》は信じられていたとしても、彼に厭離穢土《おんりえど》の死への傾斜はなかった。俗世は捨てても、死《しに》いそぐ心は持たなかった。彼が世を厭《いと》ったのは俗世を厭ったまでで、生への意志を断ったわけではなかった。それどころか、彼は真に生きる道を求めて歌道専心の数奇の仏者になったのだ。（略）

西行は早くあの世へ行きたいと思ったことはなく、生きてこの世にとどまることによろこびを

現世でよい行いをした者は極楽へいけると説くが、西行にとって浄土とはこの現世に外ならず、あり、花に逢うことであった」と、上田はいうのです。仏教はこの世の彼岸に極楽浄土があり、んや」という言葉を紹介しましたが、西行にとっては「その生きるよろこびが、月を見ることで

先に『徒然草』のところで「人、死を憎まば、生を愛すべし。存命の喜び、日々に楽しまざらよむと、たしかにそのように見ていたのであろうという気がして来ます。

花は浄土のたよりである。地上に咲いて浄土を現成《げんじょう》するものである。西行の花をうたった歌を見、地上一寸に浮くことを願っていたのだと思います。

これはなかなか魅力的な西行観で、これを書いたとき上田はすでにガンに冒されていたことを考えると、これは西行に托した彼の思想の表明でもあったでしょう。上田もまた花をそのようにれば明らかなように、地上を一寸《いっすん》浮くところにあった。」

西行の世の捨て方は、その後の彼の行い澄ますというよりは憬《あこが》れわたった四十年の生き方を見照る現世浄土であった。（略）

る。西行の欣求《ごんぐ》した浄土は、このように、月によって彼岸《ひがん》のたよりを得、花によって此岸《しがん》自体がない中空《なかぞら》に懸って現世を荘厳し、散って、地上を浄化する。花は地上の花であり、現世の花であ現世を否定するのではなく、光はまさしく地上を照らすのである。まして花は、頭上いくばくも途方もない高みに照って、それはむしろあの世の光といった方がよいようなものだが、その光は感じていた。そしてその生きるよろこびが、月を見ることであり、花に逢うことであった。月は

現世を浄土たらしめるたよりが月であり花であった。月を見、花を愛することで「浄土現成」を観ずるのが、西行における「法の道」であったというこの上田の西行観は、彼自身がそうありたいと願う願望の表現であったとわたしは思います。

花にそむ心のいかで残りけむ捨てはてきとおもふわが身に

現世への執着はすべて捨ててしまったはずのわれであるのに、その中でどうして花に思いを染め憧れる心だけが残ってしまったのであろう、とわれをいぶかしみ問うている歌です。事実はその花にそむ心一つに生きることこそ、西行の生きる理由であったのですが。

十九、持つことと在ること

清貧とは清らかで自由な心の状態

ここでわたしは一つの興味ある、欧米文化と日本文化との違いを指摘した論文を紹介するのが適切だと思います。それはエーリッヒ・フロムが『生きるということ』（佐野哲郎訳　紀伊國屋書店）の中で言っている西欧の詩人と芭蕉との感性の比較です。これはもともと欧米社会に禅を紹介した鈴木《すずき》大拙《だいせつ》がその著『禅に関する講義』の中で言っていることをフロムが読んで興味を持ち、持つ様式と在る様式との比較について説明する素材としたのですが、彼はテニスンと芭蕉の詩を紹介してこう言っています。

ひび割れた壁に咲く花よ
私はお前を割れ目から摘み取る
私はお前をこのように、根ごと手に取る
小さな花よ——もしも私に理解できたら
お前が何であるのか、根ばかりでなく、お前のすべてを——
その時私は神が何か、人間が何かを知るだろう

これに対して英訳された芭蕉の句は、

眼をこらして見ると
なずなの咲いているのが見える
垣根のそばに！

すなわち句は「よく見ればなずな花咲く垣根かな」ですが、この両者の違いについてフロムは

こう言うのです。

「この違いは顕著である。テニソンは花に対する反作用として、それを持つことを望んでいる。彼は花を『根ごと』『摘み取る』。そして最後に、神と人間の本性への洞察を得るために花がおそらく果たすであろう機能について、知的な思索にふけるのだが、花自体は彼の花への関心の結果として、生命を奪われる。私たちがこの詩において見るテニソンは、生きものをばらばらにして真実を求める西洋の科学者にたとえられるだろう。

芭蕉の花への反応はまったく異なっている。彼は花を摘むことを望まない。それに手を触れさえしない。彼がすることはただ、それを『見る』ために『眼をこらす』ことだけである。（略）テニソンはどうやら、人びとや自然を理解するために花を所有する必要があるようだ。そして彼が花を持つことによって花は破壊されてしまう。芭蕉が望むのは見ることである。それもただ眺めるだけでなく、それと一体化すること、それと自分自身を〈一にする〉こと——そして花を生かすこと——である。」

フロムのこの解釈を見て初めわたしはいささか大袈裟な感じを受けましたが、言われてみればそのとおりで、この相違は芭蕉と同質の感性を持つわれわれには気づきにくいものです。芭蕉のこの感性が、日本的（東洋的）な感性の特徴であることは、すでに良寛の松や蛙の歌、西行の花の歌を見て来たみなさんにはおわかりだろうと思います。かれらはまさに自然と自己とを、「一にすること」のみを願っているのです。

フロムはこの両者の態度の違いを、「所有すること」の存在様式と、「在ること」の存在様式との違いとして説明しているのですが、力点は「在ること」のほうに置かれていて、フロムにとってこれはあるべき新しい人間のタイプを示すものでさえあるのです。この「在ること」を重視する新しい人間のタイプとはどういうものか、彼が二十一項目をあげて説明しているそのいくつかを挙げてみましょう。

1 十全に在るために、あらゆる持つ形態を進んで放棄しようとする意志。

2 安心感、同一性の感覚、自信。それらの基礎は自分の在る姿であり、結びつき、関心、愛、回りの世界との連帯への要求であって、世界を持ち、所有し、支配し、ひいては自分の所有物の奴隷になろうとする欲求ではない。

3 自分の外のいかなる人間も物も、人生に意味を与えることはなく、このラディカルな独立と、物に執着しないことが、思いやりと分かち合いに専心する最も十全な能動性の条件になりうる、という事実の容認。

4 自分が今ある所に十全に存在すること。

5 貯蓄し搾取することからでなく、与え分ち合うことから来る喜び。

6 生命のあらゆる現われへの愛と尊敬。それは物や力やすべての死せるものでなく、生命とその成長に関係するすべてのものが神聖である、という知識の中に見られる。

……（略）……

16 自己を知っていること。自分が知っている自己だけでなく、自分の知らない自己をも——（知っていること。）

17 自分がすべての生命と一体であることを知り、その結果、自然を征服し、従え、搾取し、略奪し、破壊するという目標を捨て、むしろ自然を理解し、自然と協力するように努めること。（以下略）

どうでしょうか、そのいくつかを見ただけでも、フロムがここに挙げている「在ること」の存在様式こそ、われわれがこれまで見てきた西行や本阿弥光悦とその母妙秀、そして芭蕉に至る日本の優れた芸術家たちの目指したところと完全に合致することがおわかりだろうと思う。かれらが所有することを放棄したのは、人間として十全にあることのためにそれが必要不可欠の前提であることをよく知っていたからだったのです。所有を放棄して貧しくあることこそ、西洋流にいえば、神に近いと感じていたからです。

フロムはそのことのためにドイツ中世の神秘学者マイスター・エックハルトの説教から次の個所を引用していますが、これはわれわれの論旨にも適《かな》うのでやはり引用しておきます。

人間は何も持つべきではない、とは何を意味するか？

だから、ここによく注意するがいい！　わたしは（すでに）何度も言って来た、偉大なる師《マイスター》たちもまた言っている。人間は、内的なそれであれ外的なそれであれ、あらゆる事物から解放されていよ、神がその中において働きうるところの一つの場で自分がありうるほどに、徹底して解放されていよ、と。いましかしわれわれは別の言い方をしよう。人間があらゆる事物から解放されている、あらゆる被造物からも、彼自身からも、そして神からさえも自由であるとして、しかしなおそこに、神が彼のうちに働くための場を見出すことができるというのであれば、そのときわれわれは言おう、そういう場が彼のうちに存在するかぎり、その人間はまだぎりぎり究極の貧しさにおいてなお貧しくはないのである、と。なぜならば神は、そのわざを行うために、人間が自己のうちに神の働きうる場を持つことを求めていないからだ。そうではない、神が魂のうちにおいて働こうと欲するときは、神みずからがその働きの場となるほどに――神は（必ずや）よろこんでそうするであろうが――人間が神からもあらゆるわざからも自由であるとき、それをこそ心において貧しいというのである。なぜか？ 人間がそれほどまでに貧しいともし神が見そなわすなら、そのとき神は彼自身のわざを行い、人間は神を自己のうちに受容し、かくて神はそのわざを行う彼自身の場となるからである。神がそれ自身のうちにおいて働くところの者と一つであるという事実の前に、人間とは彼の（神の）働きにおける純粋なる神＝受容者以外の何者でもない。まさにここ、かかる貧しさにおいてこそ人間は、彼がかつてそうであり、いまそれであり、永遠にそれであろうところの永遠なる存在を（ふたたび）取り戻すのである。（マイスター・エックハルト『ドイツ語の説教集』説教第三十二。筆者訳）

エックハルトの物の言いようは神秘学者らしく少しむずかしいかもしれませんが、要するに、所有しない、持たない、あらゆる事物から完全に自由であること、すなわち「貧しさ」こそが、「魂への突破」の前提だといっているのです。フロムはこの説教についてこう解説しています。

「エックハルトは、持たないという彼の概念をこれ以上ラディカルに表現することは、できなかっただろう。何よりもまず、私たちは自分の物や自分の行為から自由にならなければならない。これは何も所有してはならず、何もしてはならないということを意味してはいない。その意味するところは、自分が所有するもの、自分が持つものに、また神にさえも、縛られ、自由を奪われ、つなぎとめられてはならない、ということである。（略）束縛《そくばく》を受けず、物や自我に執着することへの渇望《かつぼう》から自由であるという意味での自由は、愛と生産的にあることとの条件である。」（フロム　前掲書）

エックハルトは知識を所有することすら「持つ」ことと見做し、神からさえも自由であるほどに自由で解放された状態を真に「貧しい」、すなわち最も無拘束、無束縛、無執着の完全な自由と言っている。すなわちエックハルトにあって「貧しさ」は最も清らかで自由な状態と同義の、きわめて積極的な価値を与えられた意識概念だったのです。そしてもし神が人の中で働くとしたら、そのように完全な貧しさに達した魂の中であるという。

これはさきにタゴールがブラフマンについて語ったことと何と似ていることでしょう。そしてまたわれわれの先祖が身をもって実行した生き方とも相通じるではありませんか。わが国中世の最も優れた禅僧道元《どうげん》は、「学道の人須《すべか》らく貧なるべし」と弟子たちに言いましたが、仏道を学ぼうとするほどの者はまず貧でなければならぬというこの貧とは、エックハルトが要請したのと同じ意味であらゆることにおいて貧しくあることでした。

彼が著した『正法眼蔵』という著書は禅について語った最もすぐれた本の一つで、現代にいたるまで読みつがれ、あの良寛もこれをしばしばひもといていたのですが、その初めの「現成公按《げんじょうこうあん》」という章にこうあります。

仏道をならふといふは、自己をならふ也。自己をならふといふは、自己をわするゝなり。自己をわするゝといふは、万法に証せらるゝなり。万法に証せらるゝといふは、自己の身心および他己《たこ》の身心をして脱落《とつらく》せしむるなり。

この身心脱落《とつらく》という言葉は道元の哲学における重要なキイワードですが、身心の内を仏が働きうるほどに完全無一物の空虚にすることだと仮に解すれば、これはエックハルトの「貧しさ」の概念と重なり、しかもそれよりもずっと美しい表現のように思われます。エックハルトにとって「魂の突破」ということが重要でしたが、仏教においてはそれは悟りに相当するでしょう。誤訳をおそれずわたしの解釈をつければ、これはこういうことです。

仏の道を学ぶとは自己を認識することである。自己を認識することとは、自己をわすれること、すなわち自己を自我の狭い枠内にとどめておかずに、仏がその中で働きうるほどに自己を完全に空虚にしておくことである。自己を忘れるとは、我執を捨て去って代りに万法によって証せられること、万法のあり方どおりに任せることである。万法に証せられるとは、自己の身心、および他己（他者もまた一個の己れであるゆえに）の身心をして完全に脱落せしめることである。

万法によって証せられるとは実に美しい言葉で、欲望や我執の壁がとりはらわれたあとに宇宙のブラフマンが満ちみちている状態を想像させます。

タゴールは前に紹介した『サーダナ』という論文の中で言っています。「肉体的に、あるいは精神的にわれわれと自然の無尽蔵な生命との間に無理やりに壁を設ける場合、すなわち、われわれが『宇宙の中の人間』ではなく、ただの人間になってしまうとき」、人間は道を失ってしまうと。「人間の意識の範囲が人間の自我のすぐ近くにあるものに限定されるかぎり、人間の本性の最も深い根は永久不変の土壌を見出すことができず、精神はつねに飢餓に瀕《ひん》しているので、健全な力を示すかわりに刺激ばかりを追いまわすようになる。そんなとき、人間は内面の展望を見失い、無限なものとの生きた絆《きずな》ではなく、みずからの背丈で自己の偉大さを測るようになる。人間は星の輝く大空の中に絶え間なく流れ続ける創造の律動的な舞踏の中の完全な安らぎによらないで、自分自身の運動によって自己の活動を判断するようになる。」（タゴール　前掲書）

万法によって証せられるとは、こういう自我に束縛された状態の正反対の状態、解放され自由になった状態を言っているのです。

テニスンの詩と芭蕉の俳句を比較して、フロムが西欧的感性は自己と他、自己と自然とを分離し、対象化された自然を認識するために所有し分解してしまうと言ったのが正しいとすれば、日本的（東洋的）感性はまさにその正反対で、自我の束縛から自己を解放したときに初めて真の我が出現する。あらゆる欲望や我執から自由になったとき初めて人は全宇宙と一体になることができる、天地の生命と自己の生命とを一体化できると考えていることが、この道元やタゴールの言葉からもわかっていただけるだろうと思う。中世の神秘哲学者エックハルトが強く語った「貧しさ」もその心の状態を言っているのでした。

われわれはそういう心の状態から遠いところ、まだもろもろの煩悩にとらわれた凡俗の境をさまよっていますが、本当の心の平安と充実はそこにあるのだろうし、真の平和はこういう自然と調和合体したところに出現するだろうと、わたしは思っているのです。

廿、うれし顔にも鳴くかはづかな

自然の中のいのちの気配に耳をすます

外国人相手の講演の中では必ずしもここまでくわしくフロムや、タゴールや、道元や、エックハルトの説を紹介することはできなかった。が、少数の関心を持って聞いてくれる人たちとの会話の中では、わたしはほぼここに記したようなことを話し、これはかれらも正確に理解してくれたようであった。だれもが所有原理の上に成立つ文明の限界を自覚していたからだろうと思う。

また話す側のわたし自身としても、エックハルトやタゴールの説を引き、フロムの「持つことと在ること」のわかりやすい要約を参考にして物事を考えるとき、それまでうまく説明のつけられなかったものが筋道だって見えてくるような気がしたのである。人に話すことで自分の考えの筋道が明らかになる、というのは本当だ。西行以来良寛まで、わたしがかねて最も親しんできた詩歌の世界も、かれらの思想を背景に見ると、新しい光のうちに輝きだすように感ぜられたのであった。

なによりも「清貧の思想」が——それまでも決して消極的原理とばかり感じていたのではなかったけれども——かれらによって宇宙の生命に参じるための積極的な原理として肯定されていることにわたしは力づけられた。それは自我の狭小《きょうしょう》な壁に閉じこめられないための工夫だったのだ。欲望や我執にとらわれていては、自己の外に遍満する宇宙の生命を感じることができない。そのために所有物を最小限にして、身を遍界生命に解放する手段が、かれらの清貧だったのである。

物や金や機械への執着は死物への執着である。私有財産への支配を徹底させるためには、それを守るための力を必要とする。力への欲求が生れる。守るための武装兵力さえ必要とするにいたる。物を所有することを誇るのは、他人に対する優越性を物において、物を維持する権力において示そうとすることにほかならない。こういう物への愛は決して生きているものへの愛に転化することはない。

持つ物は、物であるかぎりすべて数量で価値を示され、すべてのものは、それが芸術作品であっても、いくらというように数字であらわされうる。しかし数字で人間への愛、生きたものへの慈《いつく》しみをあらわすことはできない。それらは心の体験に属し、計量することが不可能な領域に属するものだからだ。だが現代人が計量不能なものにまでも数字で示したがるとしたら、それはかれらがそういう心の領域での経験そのものと、その経験したことをあらわす言葉を持たないせいかもしれない。体験しなければそれをあらわす言葉も持てないわけだ。

そこでわたしはあらゆる存在物に対してわれわれの祖先が抱いていた自然界の生きものすべてにたいする同類観について話す場合には、なるべく西洋人にとって身近な話、たとえば小鳥に説教する聖フランシスコの話のようなものから始めることにした。

アッシジを訪れた大抵の人は、あそこの大聖堂の壁画に描かれている小鳥に説教する聖フランシスコの絵の前で足をとめます。図柄そのものが大変に好ましいものであるばかりでなく、誰もが子供のときにこの美しいエピソードを聞いて知っているからでありましょう。

右手にこんもりと葉を繁らせた一本の木が描かれ、その下に多くの鳥が下り立って、説教する聖フランシスコを見上げている図です。フランシスコの頭は、こういう聖画の常套に従って光輪に包まれていますが、粗末な衣をまとい足は裸足で「貧しき兄弟団」の暮しのさまを示しています。この話は聖フランシスコの逸話集『小さき花』に出ているもので、ご存じのように彼が兄弟団をともなって旅をしているとき今日ピアン・ダラルカと呼ばれているところで起ったといわれているものです。『小さき花』によると、それはこんなふうにして行われました。

彼が神に満たされた心で旅をつづけているとき、ふと目をあげると、どうでしょう、道ばたに立つ二、三本の木の上に無数の鳥たちがとまって待っていたというのです。それを見て彼は驚き弟子たちに言います。

「この道ばたで待っていておくれ、ちょっとわたしの兄弟たち、あの小鳥たちに説教してくるから。」

そして野原に入っていって鳥たちに説教を始めると、鳥たちはただちに木から飛び下りて彼のまわりに集り、聖フランシスコが説教を終えるまで身じろぎもしないで聴いていた。終ってもまだその場から飛び立たないで、彼が祝福を与えてくれるのを待っていた。あとで兄弟マッセオと兄弟マッサのヤコポが報告したところによると、聖フランシスコはかれらの真ん中に入っていって祝福を与えたが、彼の僧衣が触れても動くものがなかったという。

「わたしの兄弟、鳥たちよ、お前たちはお前たちの創造主たる神に、いついかなるところでも感謝しなければいけない。なぜなら彼はお前たちにどこへでも飛んでゆける力を貸し与え、お前たちを二重にも三重にも美しい衣で装い、お前たちの種が減じないようにノアの方舟《はこぶね》に乗せてお守りくださったからだ。それからお前たちはお前たちのために定められた空気の精にも感謝しなければいけない。それから第三に、お前たちは蒔《ま》かず刈らず、しかも神は食物を与え川や泉の水を与えてくださる、身を守るべき山や谷を恵み、巣を作るための高い木々をくださる。お前たちが紡《つむ》ぐことも織ることも知らずとも、神はお前たちに、お前たちと子供らに着せてくださる。おお、なんとお前たちを愛していられることか。創造主は、かくも多くの恩寵を与えられるとは！　それゆえにわたしの兄弟たちよ、恩知らずの罪に陥るな、そしてつねに神を讃美してあれ！」（フランシスコ『小さき花』筆者訳）

聖フランシスコがこれらの言葉を語り終えると、鳥たちはみな嘴《くちばし》を開き、首を傾け、翼をひろげ、頭を敬虔《けいけん》に地に垂れて、羽根と囀《さえず》りとで聖なる父へのよろこびをあらわした。聖フランシスコも鳥たちの数の多さとその多様な美しさ、かれらの注意と信頼とに驚き、ともによろこび楽しんだ。そしてかれらの輪の中にあって敬虔に創造主を賞めたたえた――

『小さき花』はそんなふうに小鳥への説教の模様を伝えていて、これはみなさんも子供のときに話されて聞いているでしょう。

この話はありうべからざる童話のようで、大人の理詰めな頭脳ではもはや信じがたい気がするのでありますが、それでもこの話にはどこかいつ聞いてもわれわれの心を明るく楽しくさせるものがある、聖フランシスコとはさぞやそういう人であったろうと思わせるとともに、彼にならあるいはこういう奇蹟も起ったかも知れぬという気にさせるところがあります。

話は小鳥への説教という信じがたいことでありますが、そこで彼が語ったことは聖フランシスコにとって日ごろから深くそのとおりに感じて生きている心情であったでしょう。相手が小鳥であるからといって別のことを言っているわけではありません。自分が生きて今あること自体が恩寵である。それを与えてくれた者を彼は神・創造主と呼んでいますが、食するに食物があり、飲むに水があり、着るに衣がある、草庵とはいえ住むに家がある、これを神の恩寵といわずして何と言おうか、これ以上を願うのは贅沢というものである、いや、生きて今あることのよろこびを感じるためにそれらの物はむしろ妨《さまた》げとなる、生きているこのよろこびを最も鋭く生き生きと感得するには、人は貧しくある必要がある、そうふだんから感じて生きているからこそ、小鳥たちに向っても自然に同じ言葉が出たのであって、人間に対して語る言葉とそれは少しも変らないのだ、とわたしは思います。

また、このエピソードが今もわれわれを魅するのはそれだけではありません。聖フランシスコが小鳥たちを「わたしの兄弟」と感じていたところに、ヨーロッパ社会には珍しい感性の発露があって、それが人びとに訴えかけるのだと思うのです。聖ボナヴェントゥラは「すべてのものは同じ根源から出ている」と言い、人間がひとり特別なのではなく、人間、動物、植物、海洋、星座のあいだには類似があり、同じ根源から発し、互いに親しい調和の中に生きなければならないと信じていたらしいのです。それと同じ感性の発露が、小鳥たちを見て親しく説教を始める聖フランシスコにあらわれているところが、今もわれわれを打つのだと思うのです。ヨーロッパ社会でこういう心性を見るのはきわめて稀《まれ》ですから。

わたしはここでもう一度良寛のあの歌を思い浮べてくださるよう要請したいのです。

むらぎもの心楽しも春の日に鳥のむらがり遊ぶを見れば

良寛は草庵の戸を開け、春が来たことをしみじみと味わいながら、鳥たちが囀《さえず》り、群れ飛び、餌をついばむのを見て、そこに自分と同じよろこびをともにしたものがいるのを感じている。鳥も自分もともに生きてこの時に遭遇している幸福を、これこそが恩寵である、これ以外の幸福はない、と感じているのです。まさに聖フランシスコの心性と同じであります。

そしてそのどちらもが「貧しくあること」を重要なモメントとして、身も心も貧しくあることを通じてこの生の感覚が最も鋭く、最も生き生きと感得される、所有物や知識、学識にとらわれていてはそれを感じることはできない、と見抜いていたことが大事なポイントです。かれらは一度は多くの所有物に囲まれた贅沢な生を享受《きょうじゅ》した人たちです。良寛は庄屋の息子ですし、聖フランシスコは名だたる大商人の家の出で、青春にはさんざん放埒《ほうらつ》な生活もしたのです。そういう生活への否定として、それが神に近い唯一の生存形態だとして選んだのが、良寛にあっては草庵の暮しであり、聖フランシスコにとっては一切の所有を禁じた「貧しき兄弟団」の生活でした。

現世の生存様式を最も単純でミニマムなものにすればするほど生きてあることの感覚は鋭く磨かれ、心は広い世界に放たれて自由になり充実していく、生への感謝はますます増大する、この発見と認識があるからこそ、かれらの清貧はいよいよ光ってくるのだとわたしは信じています。

鳥や獣や樹や花をわが身の同類として生き生きと共感する、こういう心のありようは西行においても共通しています。

刈り残すみつの真菰《まこも》に隠《かく》ろへてかげもち顔に鳴くかはづかな

刈り残されたみつ（御津・地名）の真菰のかげに隠れて、自分は身を守ってくれるかげを持っているぞと自慢げな顔で鳴いている蛙だなあ。頼りない真菰のかげで鳴く蛙が滑稽味をもってうたわれています。

真菅《ますげ》生ふる山田に水をまかすればうれし顔にも鳴くかはづかな

前の歌は「雑」の部にある歌ですが、これは「春」の部におさめられていて、菅の生えている山田に水を引くと、さっそくうれしげな顔つきで蛙が鳴きだしたことよとうたう。「……顔」という言い方は西行の愛用語で、前のは「かげもち顔」、こちらは「うれし顔」です。こういう小さないのちの表情にまで共感が働くのも、山中独居の孤独と、自分自身がかれらと同じ次元に生きているという認識のためでありましょう。

小山田の庵ちかく鳴く鹿の音《ね》におどろかされておどろかすかな

山田の庵近くまで鹿が寄って来て鳴くので目を醒まされてしまったから、今度はこっちが鹿をおどろかしてやろうというのです。「おどろかされておどろかすかな」と同じ語を二度用いて、一種全体に軽妙飄逸《けいみょうひょういつ》の気があり、庵をはさんで中に住む人と外に近寄った鹿とが呼応しています。

ませに咲く花にむつれて飛ぶ蝶のうらやましくもはかなかりけり

「ませ」とは竹木で作った低い垣のことですが、そのませに咲く花を慕って蝶が飛んでいる、そのひらひらと自由なさまを見ると羨しくもあり、またその命の短いことを思ってあわれな気もするよ、という。蝶を見ながら心は蝶と一体になっている感性のありようがよく伝わってくる歌です。

また晩年の西行に「嵯峨に棲みけるに、たはぶれ歌とて人々よみけるを」と前書きのある一連の歌があって、これはわたしの愛してやまぬものですが、その三、四をあげると、

うなゐ子がすさみにならす麦笛のこゑにおどろく夏のひるぶし

むかしせしかくれ遊びになりなばやかたすみもとに寄《よ》り臥《ふ》せりつつ

篠撓《しのた》めて雀弓はる男《を》のわらはひたひ烏帽子《えぼし》のほしげなるかな

いたきかな菖蒲《しやうぶ》かぶりの茅巻馬《ちまきうま》はうなゐわらはのしわざと覚えて

これらは別に訳するにも及ばぬでしょう。「うなゐ子」とは髪をうなじのところで編むうない髪の子、すなわち幼な児たちで、かれらの鳴らす麦笛の鋭い音に夏の昼寝の夢をさまされた西行が、かれらのさまを見つつ自分の幼い時分と重ね合わせて感慨にひたっているのです。みな実に自然であたたかみのあるいい歌だと思う。

これらの歌を見ていると、日本の昔の詩人たちがいかに自然の中のいのちの気配に敏感であったか、自然のいのちの気配を感じることを重視していたかがわかります。聖フランシスコと同じようにかれらを「兄弟」と意識し、かれらとの共存を通じて何者かの恩寵によって自分が生かされていることを感謝の念をもって接していた。そういういのちの気配を敏感に感じうるところに身を置くことを何よりも重視した結果が、外見からはいかにも粗末で貧しげな草庵の暮しだったのです。

ふつうの人からは粗末で貧しげに見えるその草庵のなかで地上の生ける者すべてと同レベルで生活し、かれらのいのちと共感して生きることで、詩人たちはどんな金殿玉楼の住人よりもゆたかで充実した内的生活を送っていたかしれません。

廿一、骨もまた清からん

現実の無残な相をも直視する精神

草庵の生活はつねによろこばしい微笑を誘う生の感覚であるとはかぎらず、ときに現実の傷ましい相に逢着することもある。が、そのときでも目をそらさず、そういうむごいこともある生の姿を、深く心に刻みとめるのが詩人というものでした。芭蕉の『野ざらし紀行』の中に、有名な「棄児《き じ》秋風《しゆうふう》」の句があります。長い前書きと後書きとのある一種異様な書き方をされている句です。

富士川のほとりを行《ゆく》に、三《み》つ計《ばかり》なる捨子《すてご》の哀《あはれ》げに泣有《なくあり》。この川の早瀬《はやせ》にかけて、うき世の波をしのぐにたへず、露計《つゆばかり》の命待《いのちまつ》まと捨置《すておき》けむ、小萩《こはぎ》がもとの秋の風、こよひやちるらん、あすやしほれんと、袂《たもと》より喰物《くひもの》なげてとをるに、

猿を聞人《きくひと》捨子に秋の風いかに

いかにぞや汝、ちゝに悪《にく》まれたるか、母にうとまれたるか。ちちは汝を悪《にくむ》にあらじ、母は汝をうとむにあらじ。唯《たゞ》これ天にして、汝が性《さが》のつたなき（を）なけ。

まことに無残な光景で、この長い前書き後書きからも芭蕉のショックのほどが察しられますが、

それを「唯これ天にして、汝が性のつたなき（を）なけ」と見捨ててゆくところに、芭蕉の慟哭《どうこく》があるのでしょう。

「猿を聞人《きくひと》」というのは、中国の古詩たとえば杜甫に「猿ヲ聴イテ実《ゲ》ニモ下ス三声ノ涙」とあるような哀猿《あいえん》の習慣をさし、あなた方は哀猿に秋を感じるというが、ではいまこの秋風の中に捨てられている子に何を感じるのか、自分はいまこの捨子につくづくと日本の秋を感じているというのでしょうか。ここは昔から解釈の分れるところですが、美しいこと楽しいことをうたうばかりではない、生きもののこういう無残な相もまた生きる姿のうちと見て記しとどめておくのです。

そしてそれだけに同じ『野ざらし紀行』の少し先に、

道のべの木槿《むくげ》は馬にくはれけり

とある、この路傍で見た何でもない光景をうたった句が、ある特別の意味を帯びてわれわれに訴えかけてくるようであります。

西行であれ、芭蕉であれ、かれらは言葉によって生の感覚を表現することにおいて最もすぐれた詩人でありましたが、それはたんに言葉を操る技術にたけていたというのではなかった。言葉以前にまず自己および他己が生きてあるということをつねづねその全存在によって感得していた人びとであって、その感得することの深さがわれわれを打つのです。

西行は老年になって俊乗坊重源《しゅんじょうぼうちょうげん》にたのまれ、平家に焼かれた東大寺再建の勧進《かんじん》のため、遠いみちのくへ再度の旅に出かけました。すでに六十九歳で、これが最後の旅になるであろうという覚悟がある、このときの西行の歌には彼のそういう思いのあらわれた実に丈の高いいい歌があります。

東の方へ相識りたりける人の許《もと》へまかりけるに、小夜《さよ》の中山見しことの昔になりける
思ひ出でられて
年たけてまた越ゆべしと思ひきやいのちなりけり小夜の中山

人間が生きてあることの感動をこれほどみごとに表現した歌はめったにないでしょう。長く生きてきた人生の時間を一瞬に圧縮して強く詠嘆し、しかもそれが少しも感傷的にならないで「命なりけり」と感慨するところ、まことに名歌というしかない歌です。ずっと後の世になって芭蕉は同じこの小夜の中山を通ったとき、敬愛すること深い西行のこの歌を偲んで、「命なりわづかの笠の下涼み」と詠んでいます。

この旅のとき西行は鎌倉で鶴岡八幡宮に参詣したところを頼朝の家人に発見され、頼朝と対面していろいろ話をすることになります。弓馬《きゅうば》の事を尋ねられるとすでにみな忘れ申したと言い、和歌の道について尋ねられると、「詠歌は、花月に対して動感の折節、ただ三十一字を作るだけの

ことであります。まったく奥儀《おうぎ》は知りません」と答えただけだった。まことにそっけないもので、彼には頼朝といえども世俗の権勢にはなんの関心もなかったのでしょう。頼朝が銀作りの猫を贈り物に与えると、門を出たところで遊んでいた子供にやってしまったというエピソードからも、その気持がわかります。

西行の答はまことにそっけないけれども、彼にすればそれ以外に答えようもなかったに違いない。歌は言葉いじりではない、なによりもまず生きてあるということに敏感に反応しうる心の状態を保つことが大事であって、その心が物事に「動感」すればそれが歌になるのだと、彼にすればごく当り前のことを述べたのだと思われます。芭蕉が、

「常《つね》風雅にいるものは、思ふ心の色、物と成りて、句姿定《さだま》るものなれば、取物《とりもの》（対象の取り上げ方）自然《じねん》にして子細なし。心のいろうるはしからざれば外《ほか》に詞《ことば》をたくむ。」（『三冊子』）

と言ったのと奇しくもひびきあっています。

素人は歌や句といえば「詞をたくむ」ものと勘ちがいしているが、詩歌とはそんなものではない、「常《つね》風雅にいる」その心の工夫こそがすべてなのであると、西行、芭蕉どちらも同じことを言っているのです。

その西行が平泉の藤原氏のところまでいって詠んだ歌。

十月十二日、平泉にまかりつきたりけるに、ゆきふり、あらしはげしく、ことのほか

にあれたりけり。いつしか衣河《ころもがは》みまほしくてまかり向ひてみけり。河の岸につきて、衣河の城しまはしたることがら、やうかはりて、物を見る心ちしけり。汀《みぎは》凍りて、とりわき冴えければ

とりわきて心もしみて冴えぞわたる衣河みにきたるけふしも

吹雪のなか衣川の岸に立って西行の心がひときわはげしく「動感」しているさまが、歌の前書きからも伝わって来ます。衣川は古戦場でもある上に、義経が藤原氏を頼って来るであろうという世上の噂もあるし、頼朝が最後の仕上げとして藤原氏追討に立つであろうことはすでに西行も察していたかもしれない。そういう嵐をふくんだ気配に元武士の佐藤義清の心がはげしく揺れ動いたのだと、わたしは想像しています。

が、西行となった今の彼にとって世上の争乱のごときは、たとえどんな大義名分があるにしろすべて人間の愚かなる争いにすぎない。戦乱はみな人間の権勢欲、所有欲、名誉欲から発した愚行であると、いまだにそういう欲望を絶ちきれないでいる人間が、いっそあわれで救いがたいと感じている。

世のなかに武者おこりて、西東《ひんがし》北南いくさならぬところなし。うちつづき人の死ぬる数きくおびただし。まこととも覚えぬ程なり。こは何事のあらそひぞや。あはれなる

ことのさまかなと覚えて
死出《しで》の山越ゆるたえまはあらじかしなくなる人のかずつづきつつ

いくさはもう「こは何事のあらそひぞや」としか今の西行には見えないのです。歌の道というものはそんな生臭い欲望の世界の対極にあるものだった。歌とは、奪い合い、支配し合い、殺し合う人の世をかなしみ、生を美しい彼岸へと誘うものであった。人間のいのちとはそうでなくともいつ死を迎えるかしれないものである。その死すべきものとしての自覚を絶えず持ちながら、いのちのありがたさに目覚めさせるものこそ歌である。

『西行上人談抄』という、晩年の西行の言葉を弟子たちが記したものがあって、その中に、

「昔、上人の言はれしは、和歌つねに心澄む故に悪念《あくねん》なく、後世《こせ》を思ふもその心進むと言はれき。此の事まことなり。」

という一条がある。また、西行の日常のさまを記して、

「歌のこと談ずるとても、その隙《ひま》には、一生いくばくならず、来世近きにありと、行住坐臥の口ずさみに言はれし、あはれに尊く覚えし。」

とある。

和歌が西行にとっては何よりも心の状態を欲望から遠く保ち、いのちそのものを感得するための手だてであったことがわかるのです。これが日本の芸道の根本にある心掛けでした。芭蕉が

「実ありて、しかも悲しびをそふる」と感動した心のありようだったのです。わたしが「日本文化の一側面」と題してもっぱらこれらの人びとのことばかり語って来たのは、わたしにとっては本当はいままで紹介して来たような精神のありようこそ、日本が世界に誇りうる文化の伝統だと信じているからにほかなりません。

日本人は今とかく金銭欲、物欲、所有欲の権化《ごんげ》のように見られがちでありますけれども、日本文化はもともとはそういう欲望とまったく無縁な、むしろそれらの欲望の否定の上に成立って来たものだったのです。物欲にとらわれることを軽蔑し、欲望を精神の自由を阻害する敵と見做して、欲望を超越したところに高度な精神文化をつくりあげて来た。それはいままで見たいくたの例からもおわかりいただけるだろうと思います。

十四世紀の日本の禅僧に寂室《じゃくしつ》（正応三～正平二十二 一二九〇～一三六七）という人がいて、この人は生涯修行のために旅をし、晩年になって近江の山中に永源寺という寺を創《はじ》めた大変すぐれて精神の人でした。この人の詩に、「山居」と題して、

名利を求めず　貧を憂えず、
隠処《いんしょ》　山深うして俗塵《ぞくじん》に遠ざかる。
歳晩《さいばん》　天寒うして誰か是れ友なる
梅花　月を帯びて一枝新《あら》たなり。

というのがあります。禅僧なら誰でも作りそうな詩といえばそれまでですが、この人の場合は「名利を求めず、貧を憂えず」というのが実際であって、俗塵を去って山中深く住み、月の光に梅花一枝ほころぶのをよろこぶ生涯を送ったため、この詩はあとあとまで人びとに愛されて来ました。十七世紀半ばに彼の創設した永源寺が衰退したとき、乞われてこの寺の住持となった一糸文守《いっしもんじゅ》という人がいます。彼も当時の禅僧が権力に近づき堕落しているのを深く憂えた禅僧で、同じように権力の巷から離れ山中で修行一本の生活を送っていて、寂室を非常に尊敬し『寂室和尚行状』という伝記を編んでいます。彼は永源寺に晋山《しんざん》したとき、あたりの様がまるで曽遊《そうゆう》の地のように思われたといい、

渓山蘊藉《けいざんおんじゃく》　眼ヲ経ルガ如シ
疑ウラクハ是レ　前身此ノ中ニ隠ルカト

という詩を詠みました。自分の前身はこの山中に隠れていたかと思われるくらい、永源寺をかこむ自然は懐しく、寂室和尚が慕わしいというのです。もって彼が平常いかに寂室を敬慕していたかが察せられるのです。

寂室の詩で最も有名なのは、

風は飛泉を攪《みだ》して冷声を送る、
前峯　月上って竹窓明らかなり。
老来　殊に覚ゆ　山中の好《よ》きことを、
死して巌根《がんこん》に在らば骨も也《ま》た清からん。

という四行詩です。飛泉は滝のこと。解するに及ばぬ平明な詩ですが、この結句「死んでもこの巌根に在るなら、骨もまた清かろう」というのが、この人の禅境を示す言葉として有名になったのでした。近代の代表的哲学者西田幾多郎は、その書斎に「骨清窟《こっしょうくつ》」という扁額《へんがく》をかけていたといいますから、西田博士もこの詩に打たれていたのでしょう。一国の文化というものはこんなふうに、ただ一個の詩でもいい、その詩を媒介として古人の風を偲び、思想と生き方を学ぼうとするところに伝えられてゆくことを、目のあたり示されるような気がします。

廿二　清く貧しく美しく

庶民に生き続けてきた清貧の思想

さて、これまでわたしは日本の著名な文人たちの話ばかりして来ましたが、それはかれらが言葉を持つ人、すなわち言語表現能力のある人たちで、「清貧の思想」を知るにはその言葉を藉《か》りる必要があったからです。思想は言葉によってのみ伝えられるとは限りませんが、言葉なしには遺《のこ》らない。かれらが詩や歌や文章にその思想を最も明確に表現しておいてくれたからこそ、われわれはいまそれを辿《たど》ることができるわけです。

しかし、もし「清貧の思想」がかれら一部の文人たちだけに限られるものであったら、それは一国の精神文化の伝統と呼ぶに値しないでしょう。が、かれらが言葉においてあらわしたものは、かれらのように言語表現能力を持たないふつうの生活者の中にも根強くひろく行き渡っていたのでした。富んで慳貪である者を軽蔑し、貧しくとも清く美しく生きる者を愛する気風は、つい先ごろまでわれわれの国において一般的でした。むろんどの時代にも同じ人間である以上は、いつも貪欲な者、富に奢《おご》る者、売名者、権力志向者はいたわけですが、そういう連中は庶民の日常感覚では悪役と見做されて来たのです。

日本映画で最も多く描かれ愛されて来たのは、たとえば戦後映画の一番のヒット作品だった『二十四の瞳』の女教師のように、清く貧しく美しく生きる人間のタイプです。ああいうものが一般生活者の心を感動させるのであって、アメリカ映画によく描かれるような豪華《ごうか》絢爛《けんらん》たる富豪の生活ではありませんでした。

そこで今回は締めくくりとしてその話をしますが、それにはわたしの体験を話すしかなく、まず自己紹介しますが、わたしは一九四五年、すなわち日本が第二次大戦に敗北した年に二十歳だった世代に属します。ということは何を意味するかというと、第一に戦前の平均的日本人の生き方を見て知っているということです。第二に、敗戦後の、トウキョウを初め都市がほとんど空襲で廃墟と化したあとのおそるべき窮乏時代に青年期を送ったということです。第三に、その後「奇蹟の復興」をへて日本が高度経済成長を遂げ、今日の大量生産＝大量消費時代を迎えた時代を初めから逐一《ちくいち》見て来たということです。その意味でわたしたちの世代は、一身にして三世を体験して来たと言っていいでしょう。

そのわたしが現在最も懐しく、ほとんど郷愁のように思い起すのは、戦前の市井に清く貧しくけなげに生きていた人びとのことです。当時だって大勢いたいやな人間——サーベルを下げて威張り返っている軍人や、利得にあけくれる汚い政治家がその筆頭ですが——のことではなく、職人や町家や農民の中にいたそういう人びとのことです。

かれらの生活は今日から見れば比較にならぬくらい貧しくつましいものでした。今日日本のどの家庭にもある冷蔵庫、洗濯機、音響機器、テレビ、掃除機、クーラー、暖房などはなく、ピアノや蓄音機やクルマを持つのはよほど裕福な家庭に限られていました。ベッドや洋家具や応接セットなどもなく、欧米人から「木と紙の家」と冷笑された木造家屋に住み、襖《ふすま》と障子《しょうじ》とに仕切られた簡素な室内にあるものといったら衣類を収納するタンスと茶器を入れる茶ダンスぐらいのものです。およそガランとした——本質的には草庵と変らない——簡素きわまりない家に住み、働くことが主体のような生活をしていました。

しかし、かれらにはそのような貧しく質素な暮しの中で、内にみずから律するものを持って生きていた、とわたしは信じます。わたしの父は職人——家を建てる大工——でしたが、父の関係で知ったさまざまな職人には、職人気質《しょくにんかたぎ》という一つの生き方の規範がありました。かれらはその小さな家に必ず神仏を祀り、朝夕敬虔にそれを拝し、神仏の存在を信じていました（この点は前に紹介した光悦たちと同じで、これは戦後われわれが失った習慣の一つです）。たとえ法や人の目に触れなくとも間違ったことをするのは神仏に対して許されぬ、という心の律を持っていたのです。これは非常に大事なことだったとわたしは思います。

そしてその暮しは、明治の詩人石川啄木が「はたらけどはたらけど猶《なほ》わが生活楽《くらしらく》にならざりぢつと手《て》を見《み》る」と感傷的にうたったように、身を粉にしても貧しいもので、しばしばそのことを歎いてもいましたが、人間はまっとうに働いて生きるべき者で、盗みや詐欺《さぎ》や収賄《しゅうわい》や投機や、そんな手段で成功するのは間違っていると信じていました。働くことを厭わなかった。かれらは仕事と自分の業に誇りを持ち（本阿弥一族と同じです）、金儲けよりもよい仕事をすることを望んでいました。

わたしの母なぞは炊事、洗濯、掃除、縫いものなど、すべて家族のために身を捧げるような毎日でしたけれども、家の内はつねに清潔に保ち、みずからに対して求めることはまったくなかったのでした。欲得にあくせくするところなど見たことがありません。実際わが母ながら母を見ていると、前に紹介した『往生要集』の「足ることを知らば貧といへども富と名づくべし、財ありとも欲多ければこれを貧と名づく」を、教えられなくとも身をもって知っていたと思ったものです。こういう生きる姿勢は母一個の心掛けだけで出来るものではないでしょうから、これこそ伝えられた文化だったのだと思います。十七世紀の本阿弥妙秀の心は彼女一人で終らず、名もない庶民の中に同じものが脈々と伝わって来たとわたしは信じるのです。

そしてわたしが何よりもうれしく思うのは、花を愛した西行、鳥の声をたのしんだ良寛と同じ自然への愛と親近感とが、こういう無名の市井の一市民の心にもあったことです。日本の家屋は外に対して完全に解放された作りで、家の内部と外部とは一つながりになっていますが——この点が、外部に対して内部を閉す欧米の建築とまったく違うところです——そのために自然はそのまま内に入って来て、家の中にいても自然の推移を味わうことができるのです。母は狭い庭に花の咲く灌木や草や盆栽を育てていて、それらの花が咲くと近所の友だちと茶を飲みながら、今年はよく咲いたと、生きてふたたび花に逢えたことを一緒にたのしんでいたものでした。

わたしはなにも自分の母だからと言って彼女を美化しているのではありません。多くの日本の庶民にとって、それはごく身についた感覚なのです。いまでもたとえばトウキョウの下町にいけば、庭もない町家でも、鉢やプランターに小さな木や花を植えて軒先に置き、朝夕水をやっている光景が見られます。町中の庭とてない家でも坪庭《つぼにわ》と言って極小の自然空間を設け、その小さな世界に自然の移ろいを味わう習慣が生きています。

ここに持参したのは江戸時代に久隅守景《くすみもりかげ》という画家が庶民の暮しを描いた「夕顔棚納涼図《ゆうがおだなのうりょうず》」と

久隅守景　夕顔棚納涼図　東京国立博物館蔵

いう画のコピーです。ごらんのとおり夕顔の咲く棚の下に莚《むしろ》を敷いて、貧しい夫婦と子とが、一日の仕事のあとの一時をたのしんでいる団欒図《だんらんず》でして、わが国には江戸時代からこういう貧しくとも生をたのしむ心のあったことが知れましょう。

わたしの母がふだんよく口にしていたのは「もったいない」という言葉でした。これは表面上は「物を粗末にするな」ということですが、たんに倹約せよというのではなく、もっと深い「神仏に対して不届きである、畏れ多い」という意味がこめられています。食物ならたとえ米の一粒、菜の一切れでも、充分にその用を果させないでムダにすることを、いのちを冒瀆《ぼうとく》する行為、天に対して畏れ多い行いだというのです。だから彼女は紙一枚、紐一本でもいたずらに捨てずにとっておいて、必ずその用をなさしめ、決してムダにはしませんでした。

彼女は日本が高度経済成長期に入ったころ、すなわち今日の大量生産＝大量消費のサイクルに生活がまきこまれたころまで生きていましたが、大人ばかりか子供までが物を大事にしなくなって平気で捨てるようになった風潮を歎き、「空恐しいことだ、こんなに物をムダにしていてはそのうち天罰が当ろう」と言っていたものでした。

今日、大量消費時代への反省からリサイクル運動が叫ばれていて、それはそれで当然そうあるべき結構なことですが、わたしの母の世代の者に言わせたら、なぜいまさらそんなことを、と思ったことでしょう。同じく環境保護とかエコロジーといった運動だって、彼女たちにすれば言うまでもない当然のことであって、誰に言われずとも身をもってごく当り前にそれを実践して来たのです。清貧とはたんに貧しいことではない、自然といのちを共にして、万物とともに生きることなのですから。

その国その家に金があるからといって、食糧や木材や石油やガスなど、他に貧しくて買えぬ国や家があるのに、目一杯買い集めて空しく浪費する風潮は、わたしの母たちにすればそれ自体が罪深い行いだと感じられていたのです。

関東の日本の農村にはまた、「ものころし」という言葉が、これも今は廃語になりましたが、ありました。これは、たとえば畑の作物を都合で完熟《かんじゅく》させないうちに廃棄《はいき》せざるをえないとき、「あったらものごろしだなあ」というように使う。どんな物でもそのいのちを全《まっと》うさせないで殺すことを罪深い行為と見做す感覚から生れた、いかにも農民の心から生れたらしい、いい言葉だとわたしは思いますが、こういう言葉を作りだしたというのも、かれらはその作るものを、米でも野菜でも何でも、たんなる市場価値においてではなく、生命ある一つのいのちと感じていたからです。

今日では農村でもこの言葉は聞かれなくなりましたが、それと同時にかれらの作った物は市場価値に直結した生産物と見做され、たとえばキャベツの値が暴落したりすれば、せっかく作った作物をトラクターで踏み潰すようになってしまいました。まさに「物殺し」です。

わたしはこういう「もったいない」とか「ものころし」という言葉を生みだしたのは、ある特別な心の在りようであって、そこにはこれまで紹介して来た文人たちの心に通じるものがあるように思います。自然の与えてくれたものを「天の恵み」と感じ、たんに金銭で買える商品とは見做さないそれは心の在りようで、これこそ文化の名に値するでしょう。大体われわれの中には、自分が金銭を出して購入した物ならどんなふうに使用しようと自分の勝手だ、というような考え方はなかったのです。

今日ではしかしわが国でも大量消費社会への反省から、リサイクル運動がすすめられ、環境保護、エコロジーが緊急の問題になっています。ドイツの「緑の人びと」と同じように、物を浪費しないシンプル・ライフを主張し簡素な生活を実行している人たちも出て来ました。しかしわたしに言わせれば、これまで紹介して来たことから察せられると思いますが、われわれの先祖にとってそんなことはわざわざスローガンにするまでもない、身についた当り前のことだったのでした。かれらは物を人間の生きるうえで必要以上に浪費することを天の許さぬもったいないことと見做し、必要最小限の物を大事に使うシンプル・ライフを実践して来たのです。それが「清貧の思想」というもので、まっとうな人間なら当然そうあるべきものと考えていたのです。

ただ、そういう長い文化の伝統を持つ国が、戦後アメリカ型産業社会に方向転換し、欧米なみの大量生産＝大量消費社会になってしまったところに、現在のグロテスクなまでの社会矛盾があるのです。シンプル・ライフを主張する「緑の人びと」が、産業文明の構造そのものの根本的な見直しを迫っているかどうか知りませんが、われわれも過去三十年間、無批判に推し進めて来たわが国の猛烈な産業社会化とそれのもたらしたものを根本から見直すべき時期に来ているようで、いろいろな分野の人びとによってその見直しの試みがなされだしています。わたしも及ばずながら文学に携わる者として、人の生き方にかかわる面からかつてこの国にあった「清貧の思想」を見直し、その中から未来の新しい生の原理となりうるものを見出したいと願っているわけです。

わたしがあらためて言うまでもなく、地球資源に限度がある以上、富める北側が資源多消費社会を営み、貧しい南側が貧困と飢えに苦しむ構造を、このまま放置しておいていいわけがない。すでに南北の経済的ギャップは地球上各地で摩擦と紛争とをひき起しています。資源でもエネルギーでも北側が大量に消費すれば南側にはそれだけ欠乏する構造になっているのですから。

この矛盾した構造の根本的な解決のためには、歴史上かつて実現されたためしのないことですけれども、繁栄する国、富める国が、その社会と生活のレベルを多消費型から共存型へとトげる以外にないのではないかと、わたしは素人考えに考えています。そしてそれは北側に属するわれわれ自身のためでもあると思うのです。光悦の母妙秀が、一人でも貧困に悩む者がいる限り己れひとり富裕であるのは許されぬと考え、みずからの生を簡素の限度まで貧しくしたような真似は、なかなか出来にくいことでありますが、あの心掛けこそ今日の状況でわれわれの心に収めておいていいものではないかと思います。

そしてそのように所得の欲望から自己を解放することが、かえってわれわれの心を自由にし、ゆたかなものにすることは、これまた幾多の文人たちの例において見て来たところです。かれらは権力とか富貴とかよりもはるかに高い価値として、人間の品位というものがあることを身をもって示しています。脱俗が高雅な心に至る前提である、欲望から自由になることが人をいのちへと導くことを示しています。

われわれの母たちの世代までその心掛けが一般庶民の中にも生きていたとすれば、われわれにそれが出来ないわけはない。問題はわれわれが大決心をして発想の大転換をなしうるかどうかであって、心さえ定まれば案外楽々と豁然《かつぜん》として広い世界がひらけてくるだろう、世界が一変するだろうという気がします。

廿三、誰人か足らずとせん

何が必要で何が必要でないか

そしてこの古人の風を偲び、思想と生き方を学ぶことによってそれが現代文明を批判する力となると信じているのです。文化というものがただ過去にあった詩や思想の追慕にとどまるならば、名所旧蹟の訪問と同じことで、そんなものは犬にくれてやったほうがいいくらいのものです。今を生きる人間にとって指標とならない死物なら、過去の遺物に何の値打がありましょう。文化とは生きものであり、現在只今《げんざいただいま》を生きるわれわれの支えになるもののことです。わたしがこれまで過去のわが国の文人の話をとりあげて来たのは、なにもたんに過去を顕彰するためではありませんでした。

わたしにとってこれら文人、禅僧たちの詩や思想は、過ぎ去った遠い昔の話ではなく、現在そこにあるもののことです。かれらが何世紀昔に生きた人であろうが、かれらの遺した思想は言葉として今ここにある。現今のジャーナリズムをにぎわす凡百の新刊書よりもはるかに親しいものとしてここにある。わたしにとってそれは生きている現在の思想です。そしてわたしにはこのかれらの生き方や思想は、行き詰った現代文明にたいし貴重な示唆を与えてくれるもののように見えてしかたがないのです。

しかし残念ながら戦後の日本は、われわれの先祖が持っていたそういう智恵を生かす方向には進んで来なかった。反対にそれを否定し破壊してばかり来た。そして今このままではどうにもやっていけないところまで事態は来ています。

もっともそれにはそうなるだけの必然性があったわけで、というのはわれわれは一九四五年の敗戦時に、都市はアメリカ軍の空爆で破壊しつくされて焼野原と化し、住む家も、食べる物も、着る物もない、文字どおり何一つない廃墟に立たされ、その窮乏の中から始めなければならなかったからです。

そういう廃墟に立たされた人たちがまず初めに、何よりもともかく食う物、着る物、住む家をと求めたのは当然だし、少しでも現在よりはゆたかな生活をと努力したのも人間の自然な欲求です。ただ足りないものだらけのなかにあって、人だけはあり余っていたからこうしてがむしゃらな復興への運動が始まりました。

わたしの記憶では敗戦から十年目、一九五五年ごろになってようやく、食糧に苦しむこともなく、団地と称する簡易集合住宅も建ち、原始的な電気製品も出回りだして、相変らず貧しいけれどもなんとか最低限の人間らしい暮しができるようになったと覚えています。わたしは三十歳のその年、何倍もの抽籤《ちゅうせん》に当って四畳半と六畳との二間しかない、風呂場と台所のある団地に住めるようになったとき、こんな幸運があろうかと欣喜雀躍《きんきじゃくやく》しましたが、そんな程度の状態だったのです。そのころは三種の神器と称する電気洗濯機、冷蔵庫、テレビを持つことが、文明生活のあかしのような生活レベルでした。まさに『徒然草』のあげる人間生活の基本条件をようやく満たす程度の生活でしたが、それでも戦争直後の極度の窮乏を知る身には、満足至極のものだったのです。

思ふべし、人の身に止《や》むことを得ずして営《いとな》む所、第一に食《く》ふ物、第二に着る物、第三に居《ゐ》る所なり。人間《にんげん》の大事《だいじ》、この三《み》つには過ぎず。饑《う》ゑず、寒《さむ》からず、風雨《ふうう》に侵《をか》されずして、閑《しづ》かに過《す》ぐすを楽しびとす。たゞし、人皆病《ひとみなやまひ》あり。病に冒《をか》されぬれば、その愁忍《うれへしの》び難《がた》し。医療《いれう》を忘るべからず。薬を加《くは》へて、四《よ》つの事、求め得ざるを貧しとす。この四《よ》つ、欠けざるを富《と》めりとす。この四《よつ》の外《ほか》を求《もと》め営《いとな》むを奢《おご》りとす。四《よ》つの事倹約《けんやく》ならば、誰《だれ》の人か足らずとせん。（第百二十三段）

倹約とはつましいながら足りていればの意で、この基準でいえば当時のわれわれはその四つは最低限足りていたのですから、もって「富めりとす」と言ってよく、事実当時の日本の状況ではそれでも恵まれたほうであって、われわれ夫婦も充分に満足していたのでした。

しかし人間の向上欲には限りがなく、一つの段階が実現されるとそれに満足していないでさらに上を望む。衣食住すべての点でもっと上等をと欲したばかりでなく、今度は新たにステレオを、ピアノを、クルマをと欲望の対象も増えていきました。街には商品が溢《あふ》れだし、クルマでも電気機器でも住宅でも次から次へ新製品が作られ、魅力的な広告によってわれわれの欲望を刺戟しだしましたから、そのころからわれわれは絶えざる欲望のとりこになって、新製品を追いつづけて来たような気がします。そしてわれわれはただの人間ではなく消費者という名で呼ばれるようになっていきました。

いつからこんな妙な言葉が使われだしたのか記憶は不確かですが、消費者というこの人間侮蔑的な言葉が一九六五年ごろから、すなわち経済成長を一国の最大の目標としだしたころからの、われわれの状態を正しく言いあてているようです。大量生産＝大量消費の時代が始ったのでした。そしてわれわれは、人間にとって一体何が必要で何が必要でないかを冷静に考えて選択する余裕もなく、ひたすらただ次から次へと市場に出現する魅力的で便利で機能的な商品の消費者とされてしまったのでした。この過程にもし賢明な人間的配慮がなされていたら、われわれの国は今日見るような経済的成功を収めることは出来なかったでしょう。

この時期の生産の原理は——わたしは経済史学者でないから正しくは何と名付くべきなのか知りませんが、一個の人間の立場から見て——それが人間生活の幸福にとって必要だから作るというのではなく、作ることが技術的に可能だから生産し、生産したものが市場に迎えられれば成功であるということであったように思います。少くともそこには人間の幸福への配慮はなかった。いい例が子供のためのファミコン・ゲーム機の生産とその大成功でしょう。あんなものが子供の成長と教育のためにいいとはわたしには信ぜられませんが、あれは熱狂的に子供をとらえ、商品は大成功し、成功しさえすればそれはいいことだとするような風が、われわれの国には出来ていたのでした。その結果どうなったか。

エーリッヒ・フロムの分析がこの状態を正確に言いあてているとわたしは思います。

「昔は、人の所有するすべてのものが大切にされ、手入れされ、役に立つかぎり最後まで使われた。買い物は〈長持ち〉の買い物であって、十九世紀の標語としては、『古いものは美しい！』がふさわしかっただろう。今日では、保存ではなく消費が強調され、買い物は〈使い捨て〉の買い物となった。買ったものが車であれ、服であれ、小道具であれ、それをしばらく使ったあとは飽きてしまって、〈古いもの〉を処分し、最新型を買うことを熱望する。取得→一時的所持と使用→放棄（あるいは、できればよりよい型との有利な交換）→新たな取得、が消費者的買い物の悪循環を構成するのであって、今日の標語はまさに『新しいものは美しい！』となりうるだろう。」

（フロム『生きるということ』）

アメリカ型産業社会を手本にしたのだから当然ですが、わが国に起った事態の進行もまさしくこの通りでありました。かつてわれわれの国では——それも大昔ではなくわたしの母の世代までは——前回申しあげたとおり物を粗末に扱うことを悪徳と見做し、どんな物でも「もったいない」として、使える限りは使うのが物に対する人間の義務だと考えていたのでした。食い物を捨てることなどほとんど罪と見做されたのです。

ところが現在わが国での状況はどうか。子供は買ってもらった玩具にすぐ飽き、飽きるのも早くてすぐに捨てて顧みず、また市場に登場した新製品をねだってやまなくなります。親もまたそれを買い与えてやることを子への愛情と勘違いして買い与え、こうして我慢とか物を大事にすることをしない風潮がますます助長されています。

現在はなくなりましたが、つい最近までわが国には「大型ゴミ捨て日」というのがありました。その日は家庭で不用になった家具や道具が捨てられるのですが、わたしはその「大型ゴミ」を見ては歎息したものです。テーブル、戸棚、椅子、ミシン、テレビ、カーペット、自転車、冷蔵庫、その他ありとあらゆるもの——しかもその多くはまだ使用可能なもの——が惜し気もなく捨てられているのです。捨てることにいまでは誰も罪悪感などいだいていないのでした。

わたしはそのたびに、もしこれがインドの街頭であったら、と思わずにいられませんでした。インドでこんな光景を見ることはむろんできませんが、もしあったらおそらく一瞬のうちに人びとが争って持ち去ってしまうでしょう。

一方でそういう途方もない使い捨て浪費社会が出現していても、しかしその中で暮しているわれわれには「ゆたかな国に暮している」という実感がほとんどないというところが問題です。物が溢れ浪費されていながら、生きてゆくうえでの肝腎なところでは貧しいとしたら、それは「ゆたかな国」とは言えないでしょう。

たとえば住宅ですが、現在大都市生活者が一生涯まじめに働いても——日本の給与水準は欧米社会とほとんど変りません——家を一軒持つことが出来ないと言っても、あなた方に信用していただけるでしょうか。しかしそれが実情なのです。都心には高層ビルが林立していても、それは企業のオフィスであって人の住むところではない。人は都会の片隅の狭い集合住宅で我慢するか、どうしても一戸建ての住宅を望むなら不便な郊外の遠隔地に住むしかない有様です。そして毎日、通勤に一時間半か二時間かけて都心のオフィスに通う——かの有名な満員電車で——という苦痛に耐えるしかないのです。日本産業社会の繁栄はこういう個人の苦痛と犠牲の上に成立しているのです。

すべては日本の恐るべき地価高騰のためですが、ために集合住宅で我慢するにしろ遠い郊外に家を持つにしろ、大抵の人は住居獲得のために多大のローンを抱えることになります。健康で働いていればそれもなんとか返済できるかもしれませんが、ひとたび働き手が病に倒れるとか死亡したら大変です。一家はたちまち路頭に迷うことになってしまいます。

日本社会には物が溢れ浪費されているといっても、クルマにしろテレビにしろ服飾や電気製品にしろ、そういう若者でも購買できるものが溢れているのであって、生きる上で一番重要な住宅、生活の安定、福祉といった面ではまことに貧寒なものと言わざるをえないのです。日本は貿易黒字国で金持だとよくいわれていますが、そんなものはあるとしたらわれわれ生活者には関係のないどこかにあるのであって、われわれには少しも実感できぬ抽象的な数字にしか過ぎません。

しかも物の浪費はゆたかという感じよりはむしろ荒廃の印象を与え、捨てられた物を見ると、われわれの生活はこんなヤワな永続性のない物で成立っているのかと、いっそ心細い気がするくらいです。

日本が一大産業社会になったのは事実でしょうが、それがわれわれ生活者に「ゆたかさ」の実感を与えない以上、どこかが根本から構造的に狂っているとしか言いようがありません。

本当ならば物が溢れている、何でも買うことができる、便利で快適になったというのは、生活をゆたかに幸福にしてくれるはずではなかったでしょうか。なのに実情は、われわれはその中にいて幸福と感じることが出来ず、むしろ人間性が物の過剰の中で窒息させられているように感じている。どうしてこんな結果になったのか。物質的繁栄がわれわれに真の幸福をもたらさなかったとしたら、それはその盲目的追求そのものの中にどこか間違ったところがあったと考えるしかないでしょう。

われわれはもう一度出発点に戻って、人間には何が必要であって何が必要でないかを検討し、それに応じて社会のしくみ全体を変えねばならぬ時に来ているように思います。

廿四、諸縁を放下すべき時なり

われらいかに生きるべきか

人間性をとりもどすために、われわれは生活をもう一度根本から考え直す必要があると思われる。社会全体についてはどうしようもないなら、せめてその中で受動的に流されっぱなしだった自分自身の生き方だけでも、自分で納得のいくものに組立て直したい。過剰の中にあってそれが自分を幸福にもゆたかにもしてくれない、いや、それどころかもはやこれ以上このままではやっていけないと感じている以上、自分の意志で生を納得しうるものに再構築することが、自己に対する義務だと思われる。

結局、外国人に向って日本の文化を語っているうちに、問題はこうしてぐるっと一回りして現在のわれわれ自身の生き方へと戻って来てしまうのであった。それも当然であって、わたしが「日本文化の一側面」について語りだしたそもそもの動機は、いまあなた方がごらんになっているような日本の製品とそれを作る人間ばかりが日本人なんじゃありませんよ、われわれの伝統文化とはこういうものだったのですと、現在はそれが日本でも見失われていることを承知で、わたしがこれぞ日本文化の最もすぐれた部分と信ずるものを紹介したい欲求に発していたからだ。それは外国人に対しては日本の宣伝であったが、わたしの本当の気持はわれわれ自身がもう一度それを取り戻したいというところにあった。ブーメランのように投げたものが自分に戻ってくるのは当然であったのだ。

われわれはなるほどこれまでここに挙げた人びとのように所有を完全に否定することはできないかもしれない。だれもが良寛のように五合庵の草庵住いが出来るわけではないのだ。われわれに出来るのはせいぜい解良《けら》栄重《よししげ》のように、自分自身はふつうの生活を営みながら、たまに良寛の訪れたとき「師ト語ル事一夕《いっせき》スレバ、胸襟清キ事ヲ覚ユ」と、その清風に浴するぐらいのものであろう。ここに挙げた文人たちの遺風を作品で偲びながら、少しでもその境地に近づこうと努めるぐらいのものであろう。

しかしわたしはそれだけでも、かれらの精神を知ると知らないとでは天地ほどの相違があると信じる。過剰の中で受動的に流されているのとはまったく違う新しい物の見方が生れると信じている。「世に従へば、心、外《ほか》の塵に奪はれて惑ひ易く、人に交《まじは》れば、言葉、よその聞きに随ひて、さながら、心にあらず」であって、受動的に流されているのと、積極的にみずからの生を選ぶのとでは、生の質はまったく違ってくるはずだからだ。

戦後の窮乏の中から出発したわれわれが、生活を少しでもゆたかにしようと懸命に働いて来たことは、人間として当然であった。それは賞讃されこそすれ咎められる筋合いはまったくない。が、よりゆたかな社会をと願うその過程で何かだれも自覚しない路線の誤りがあったのだ。気がついてみると、われわれは物質文明こそ栄えてはいるが、心のゆたかさや安らぎのない、奇妙に空虚な事態に直面していたのだから。その誤りとは、わたしは、第一には、人間への配慮なしに、

それを作ることが技術的に可能だから物を生産し、売れればよしとしてきた原理だけに大きく傾斜していったこと、第二に、何よりも経済的効率至上主義をもって生産するのを誰もが疑わなかったことにあると思っているが、素人考えで断定するつもりはない。

ただ、物の過剰の中でわれわれの生が決して充実しないことを知った現在こそ、生産とか所有とかを根本から見直す好機だろうと、わたしは思っている。物質的繁栄もそれを知らなければその悪を知ることもない。そして物の過剰がもたらす弊害《へいがい》を知らなければ、簡素な生のよさもわからないからだ。

その点われわれは、たまたま物の過剰の時代に遭遇し、所有の空しさを知ったのだから、かれらを模倣しうる条件にある。これほど多くの人が、物の過剰な時代に生きたというのは日本の歴史始まって以来のことなのだから。所有を放棄すること、少くとも世を捨てることに悦びを見出した西行や兼好や良寛の動機を解しうる立場にある。われわれは一度は物の過剰の中の生を体験したのだから。所有にとらわれるくだらなさを知ったのだから。それを知ったということの意味は大きい。あるいはそれを知るために戦後の四十年はあったのかもしれないという気さえする。われわれは今こそ『徒然草』のあの言葉を知るべき地点に立っているのではないか。

人間《にんげん》の儀式《ぎしき》、いづれの事か去《さ》り難《がた》からぬ。世俗《せぞく》の黙《もだ》し難《がた》きに随《したが》ひて、これを必《かなら》ずとせば、願《ねが》ひも多く、身も苦しく、心の暇《いとま》もなく、一生は、雑事《ざふじ》の小節《せうせつ》にさへられて、空《むな》しく暮れなん。

日暮れ、塗《みち》遠し。吾《わ》が生既《しやうすで》に蹉跎《さだ》たり。諸縁《しよえん》を放下《はうげ》すべき時なり。信《しん》をも守らじ。礼儀《れいぎ》をも思はじ。この心をも得ざらん人は、物狂《ものぐる》ひとも言へ、うつつなし、情《なさけ》なしとも思へ。毀《そし》るとも苦しまじ。誉《ほ》むとも聞き入《い》れじ。（第百十二段）

「吾が生既に蹉跎たり」なのである。このままではもはやこれ以上やっていけないところまで来ているのだ。これからは諸縁、すなわち世の中の義理やきまりを一切顧みないで、ただ自分のため、自分の魂の平安と充実のためだけに生きよう、というのである。

兼好が今の時代に生きていたら、なおさら彼はその決意を強くしたに違いないと思う。

今の日本は、どういうものかいたるところに目に見えないきまりが出来ていて、生活、交際、服装、ふるまいに枠を設けているように見える。結婚式で司会者のうながすままに拍手したり立ったり坐ったりカメラを向けたりするように、法で定めたわけでも命令されているわけでもないが、それに従わないと仲間外れにされるきまりが人を束縛している。若者ほどその人間生活におけるしきたりを強く感じているらしく、かれらは服装、持物、髪型、言葉遣い、話題にいたるまでみんなのするとおりにして、外国人が見れば一つの同じユニフォームに型どられているのかと驚くほどだ。兼好が見たら、よくまあここまで世俗に従って自分を捨てて生きてゆけるものだと呆れ、こんなことをしていては「一生は、雑事の小節にさへられて、空しく暮れなん」なのだと、あらためて歎いたことだろう。

実際、兼好のすすめるとおり一度「諸縁を放下」して、とらわれぬ目でまわりと自分とのしているこことを根本から検討してみれば、世間できまりとされていることのいかに多くが狂っているかに気づかされるはずである。

クルマを持たなければ変り者のように見られるが、クルマなどどんなのを何台持ったところで生の充実には役立たないとわかった。一九五〇年代にこそクルマの所有はゆたかな生活の憧れの象徴に見えたが、ひとたびクルマ産業社会が成立してしまえば、それは渋滞と騒音と大気汚染とをもたらしただけであった。

どんなに高品質のテレビ受像機が出来たところで、中から流れだすのが空疎で無内容で下品な娯楽番組ばかりでは、見てもしかたがないのである。ましてやそれら電気機器やクルマの集中豪雨的輸出によって外国から敵視されるにいたっては、一体何のための効率的生産かと言うしかないのだ。日本は輸出大国、経済大国だと威張ったところで、それがわれわれの生活に真のゆたかさをもたらさない以上、何のための黒字大国ぞである。

そんな現代技術の産物はもしかするとぜんぜん不用かもしれない、悪魔がわれわれの目を魂から外らさせるために発明した目くらましかもしれない、とさえ考える必要があるように思われる。少くとも一度はそう疑って、もう一度、人が生きるためには一体何が必要で何が必要でないかを自分のために考えなければ、われわれはただ世間並に流され、「一生は、雑事の小節にさへられて、空しく暮れ」てゆくだけだろうと思われる。兼好の思考法をかりるなら、明日死なんというときにテレビを見ている人がいるだろうかということである。死はいつ訪れるかしれないとしたら、その死を前にしても肯定できるだけの心の生活の充実を図ることこそ、兼好の言う賢い生き方というものだろう。

少くともわたしにとっては、これまでとりあげた先人たちの生と思想とは、そういう意味で最も純粋にただ魂のために生きる生の模範と見えたのであった。かれらは人間の所有の欲望にはきりがなく、仮にいくら所有を増大させたところでそれはこと魂の充実に関しては何の足しにもならぬと知ったから、それを放棄した。魂の充足のためにはそれにふさわしい生き方がある。生の感覚は身を貧しくするほどにとぎすまされてくる。何物にも換えがたいその喜びをかれらは知っていたから、それを歌に残し詩に残した。われわれがいま見るかれらの絵や詩歌は、かれらのその充実した生の証言である、とわたしには思われた。「日本文化の一側面」とそれを外国人には言ったが、言うまでもなく内心ではわたしはそれこそがわれわれの文化の最も優れたものだと信じていたのであった。

わたしにはまだ完全にはよくわからないのだけれども、わからないながらに、充実した生、生の充実とはこういうことかと思わせる文章がある。力勁《ちからづよ》くピンと張った言葉で、その美しい力ゆえに何度も読んで来たそれを最後に記しておこうと思う。道元の『正法眼蔵』「全機」の章にある言葉だ。

生は来《らい》にあらず、生は去《こ》にあらず。生は現《げん》にあらず、生は成《じやう》にあらざるなり。しかあれども、生は全機現なり、死は全機現なり。しるべし、自己に無量の法あるなかに、生あり、死あるなり。

生といふは、たとへば、人のふねにのれるときのごとし。このふねは、われ帆をつかひ、われかぢをとれり。われさをさすといへども、ふねわれをのせて、ふねのほかにわれなし。われふねにのりて、このふねをもふねならしむ。この正当恁麼時《しやうたういんもじ》を功夫《くふう》参学すべし。この正当恁麼時は、舟の世界にあらざることなし。天も水も岸もみな舟の時節となれり、さらに舟にあらざる時節とおなじからず。このゆゑに、生はわが生ぜしむるなり、われをば生のわれならしむるなり。舟にのれるには、身心依正《しんじんえしやう》、ともに舟の機関なり。尽大地《じんだいち》・尽虚空《じんこくう》、ともに舟の機関なり。生なるわれ、われなる生、それかくのごとし。

禅語であるから頭でばかりでは理解できないところがあるが、何度もこれを口ずさんでいると、今この時を充実して生きているとはこういうことかという気がしてくるのである。そしてこれまでとりあげて来た古人たちの生とは、内実からいえばこういうものであったに違いないと思われる。生は未来にもなく過去にもなく、現在いまここにある時を完全に生ききることの中にしかなく、そう生きている者にとって「天も水も岸もみな舟の時節」となる、全機現となる。この全機現という言葉がいい。そしてわたしはエーリッヒ・フロムがこんなふうに言うとき、彼もまた同じことを言っているのだと思ったものである。

「現在は過去と未来が接する点であり、時における国境駅である。しかし、それが結びつける二つの領域との質的な違いはない。

ある（在る）ことは必ずしも時の外にはないが、時はあることを支配する次元ではない。画家は色、キャンバス、絵筆と、彫刻家は石やたがねと取り組まなければならない。しかし創造行為、彼らが創造しようとするものの〈夢想《ヴィジョン》〉は、時を超越する。それは一瞬のうちに、あるいは多くの瞬間のうちに起こるが、そのヴィジョンにおいて時は経験されない。同じことが思想家にも当てはまる。思想を書き留めることは時の中で起こるが、思想を心にいだくことは、時の外で起こる創造的できごとである。あることのすべての現われにおいて、同じことが言える。愛することの、喜びの、真理を把握することの経験は、時の中で起こるのではなく、今ここで起こる。この今ここは永遠である。すなわち時を超越している。ただし永遠とは一般に誤解されているような無限に引き伸ばされた時間ではない。」（『生きるということ』）

こんなふうに今ココ（hic et nun）の時を充実して生きる者の生をこそ全機現というのだろうと思われるのだ。そういう充実した生にとって自己は「無量の法」に料され時を超越している存在と認識されているのである。われわれ凡人は必ずしもつねにそんなふうに全注意力を集中して今ココを生きることはできないけれども、自分にも何度かはあったそういうときを思い浮べ、なるほど生きるとはこのことであるかと合点するのである。

そしてそういう充実をもって今ココを生きている者にとって、所有なぞが何であろう。所有の世界にあくせく奔走している者たちなぞ、かれらにはあわれな欲望の奴隷としか見えないに違いない。そして言うだろう、時間とは数字ではない、生きるとは数字を重ねることではない、きみがいかにスケジュール表を分刻みで忙しく満たしたところでそれは少しも生の充実にはならぬ、と。所有をいかに増やしたところでそれをいくら足しても生の充実は得られぬ、人生は足し算ではないのだ。もしきみが本当の生を生きようと欲するなら、きみをがんじがらめに拘束している所有関係からひとたび身心を脱落せしめよ。一切無所有の身となって天地に対せしめよ。時計の時間を離れ、永遠の今ココをとくと味わえ。もしそのとき虚空の中に豁然《かつぜん》と開けるものがあったら、それがきみの生だ、「尽大地・尽虚空、ともに舟の時節、舟の機関」となったのだ、と。

まれに木の葉の飛ぶさへや　久しき時をもてあそぶ　（三好達治「百たびののち」）

三好達治は慶州の仏国寺を訪れた冬の朝、古寺の壮麗な甍《いらか》を眺め、澄みきった青い空を見ているとき、ほとんど葉を落しつくした名も知れぬ木の梢からヒラヒラと一枚の葉が空に舞うのに接して、突然そのはかない飛翔《ひしょう》こそ永遠の時に外ならぬことを体験したのだった。その瞬間をこういう表現に記しとどめることができたのは、彼が詩人だったからだ。われわれにはこんなふうに正確にその体験を表現するのは不可能だけれども、しかし三好達治の詩を通じてその時を思いやることはできる。

これが芭蕉のあの注意、「止《とむ》るといふは見とめ聞《きき》とむる也。飛花落葉の散乱るも、その中にして見とめ聞とめざれば、おさまることなし。その活たる物だに消《きえ》て跡なし」の、まさにそのとおりの実践であって、生の中の永遠の今とはこんなふうにして確認されるものだとわれわれは知ることができる。三好達治は、たぶんその同じ時の体験を、別の詩にこんなふうに表現した。

冬の日

—慶州仏国寺畔にて

ああ智慧は　かかる静かな冬の日に
それはふと思ひがけない時に来る
人影の絶えた境に
山林に
たとへばかかる精舎《しやうじや》の庭に
前触れもなくそれが汝の前に来て
かかる時　ささやく言葉に信をおけ

「静かな眼　平和な心　その外《ほか》に何の宝が世にあらう」
……（略）……
さうして今朝は何といふ静かな朝だらう
樹木はすつかり裸になつて
鵲《かささぎ》の巣も二つ三つそこの梢にあらはれた
ものの影はあきらかに　頭上の空は晴れきつて
それらの間に遠い山脈の波うつて見える
紫霞門《しかもん》の風雨に曝《さらさ》れた円柱《まるばしら》には
それこそはまさしく冬のもの　この朝の黄ばんだ陽ざし
裾の方はけぢめもなく靉靆《あいたい》として霞に消えた　それら遥かな巓《いただき》の青い山々は
その清明な　さうしてつひにはその模糊《もこ》とした奥ゆきで
空間《エスパース》てふ　一曲の悠久の楽を奏しながら
いま地上の現《うつつ》を　虚空《こくう》の夢幻に橋わたしてゐる

この詩に説明はいるまい。詩人の体験したもののすべてが晴れた冬の朝の明らかさでここに表現されている。まさに人間にとって智慧とはこういう朝ふいに訪れ、ささやくのだ、「静かな眼　平和な心　その外に何の宝が世にあらう」と。智慧とは外国語では賢明と訳されるけれどもそれとはちょっとちがう。三好達治がここで智慧という言葉をわざわざ持ち出したのは、魂に関する出来事を知覚する心の働きを的確に表現するには、釈迦以来用いられて来たこの言葉しかなかったからであろう。ここに描かれた光景はこの世の景色でありながらすべて魂の中の光景である。正当恁麼時《しゃうたういんもじ》である。尽大地・尽虚空、みな舟の機関となった時である。それは永遠の今であって永遠の空間であり、だから、

「空間《エスパース》てふ　一曲の悠久の楽を奏しながら　いま地上の現《うつつ》を　虚空《こくう》の夢幻に橋わたしてゐる」

と観じられたのだ。

こういう詩を読むと、芭蕉が『笈の小文』の巻頭に記したあの言葉、「西行の和歌における、宗祇の連歌における、雪舟の絵における、利休が茶における、其貫道《そのくわんだう》する物は一《いつ》なり」は、現代の詩人にまでうけつがれ、同じように生きていることがわかるのである。三好達治ももとより清貧の人であった。

これが日本文化の精髄であった。景色に接すれば観るより先にカメラを向け、人の話に接すれば聴くより先にテープレコーダーをつきだす社会では、なかなかその心に参じがたいかもしれないけれども、それでもわたしはこれこそが日本の世界に誇りうる文化であると信じている。クルマなぞいくら輸出したって、そんなものは少しもわれわれの誇りにはならないのである。

参考文献

『本阿弥行状記と光悦』　正木篤三　中央公論美術出版　昭和四十年
『にぎはひ草』『新燕石十種』第三巻所収　森銑三　野間光辰　朝倉治彦監修　中央公論社　昭和五十六年
『往生要集』「日本思想大系6　源信」　石田瑞麿校注　岩波書店　一九七〇年
『方丈記　徒然草』「新日本古典文学大系39」　佐竹昭広　久保田淳校注　岩波書店　一九八九年
『発心集』『鴨長明全集』所収　簗瀬一雄編　風間書房　昭和四十六年
『徒然草』　西尾実　安良岡康作校注　岩波文庫　一九二八年
『俗と無常―徒然草の世界』　上田三四二　講談社　昭和五十一年
『良寛全集』　大島花束　恒文社　一九八九年
『良寛和尚の人と歌』　吉野秀雄　彌生書房　昭和四十七年
『良寛―歌と生涯』　吉野秀雄　筑摩書房　一九七五年
『沙門良寛―自筆本「草堂詩集」を読む』　柳田聖山　人文書院　一九八九年
『森銑三著作集』第三巻　中央公論社　昭和四十六年
『近世畸人伝・続近世畸人伝』東洋文庫202　宗政五十緒校注　平凡社　昭和四十七年
『与謝蕪村集』「新潮日本古典集成32」　清水孝之校注　新潮社　昭和五十四年
『蕪村・一茶』「鑑賞日本古典文学第32巻」　清水孝之　栗原理一編　角川書店　昭和五十一年
『与謝蕪村―郷愁の詩人』　萩原朔太郎　岩波文庫　一九八八年
『山中人饒舌』『近世随想集』「日本古典文学大系96」所収　中村幸彦　野村貴次　麻生磯次校注　岩波書店　昭和四十年

『宗武・曙覧歌集』　土岐善麿校註　朝日新聞社　昭和二十五年
『子規全集』第十七巻　俳諧研究　講談社　昭和五十一年
『校本芭蕉全集』第六巻　紀行・日記篇　俳文篇　小宮豊隆監修　井本農一　弥吉菅一　横沢三郎
尾形仂校注　角川書店　昭和三十七年
『校本芭蕉全集』第八巻　書翰篇　小宮豊隆監修　荻野清　今栄蔵校注　角川書店　昭和三十九年
『去来抄・三冊子・旅寝論』　頴原退蔵　岩波文庫　昭和十四年
『芭蕉・蕪村』　尾形仂　花神社　一九七八年
『山家集』　高木市之助　久松潜一　山岸徳平　小島吉雄監修　伊藤嘉夫校註　朝日新聞社　昭和二
十二年
『山家集』　佐佐木信綱校訂　岩波文庫　昭和三年
『祝婚』　上田三四二　新潮社　一九八九年
『尾崎一雄全集』第三巻　筑摩書房　昭和五十七年
『正法眼蔵』『道元上』『道元下』「日本思想大系12・13」所収　寺田透　水野弥穂子校注　岩波書店
一九七〇年　一九七二年
『正法眼蔵』㈠㈡　水野弥穂子校注　岩波文庫　一九九〇年
『寂室元光』　原田龍門　春秋社　昭和五十五年
『啄木歌集』　石川啄木　岩波文庫　昭和三十二年
『三好達治詩集』　桑原武夫　大槻鉄男選　岩波文庫　昭和四十六年
『英国の紳士』　フィリップ・メイソン　金谷展雄訳　晶文社　一九九一年
『生きるということ』　エーリッヒ・フロム　佐野哲郎訳　紀伊國屋書店　一九七七年
『サーダナ』『タゴール著作集』第八巻　人生論・社会論集所収　第三文明社　一九八一年

中野孝次（なかの　こうじ）
大正14（一九二五）年、千葉県生まれ。東京大学文学部独文科卒。国学院大学教授を経て、小説、評論、随筆、翻訳と多彩な活動を続ける。主な著書に『ブリューゲルへの旅』『実朝考』『麦熟るる日に』『苦い夏』『本阿弥行状記』（以上河出書房新社）、『ハラスのいた日々』『はみだした明日』『リラの僧院』（以上文藝春秋）、『季節の終り』『自分らしく生きる』（以上講談社）、『わが体験的教育論』『今昔物語集』（以上岩波書店）など。

清貧《せいひん》の思想《しそう》

一九九二年九月十六日　初刷
一九九三年三月五日三十五刷

著　者　©中野孝次
装　丁　田村義也
発行者　加瀬昌男

印　刷　㈱精興社
表紙印刷　㈱栗田印刷
製　本　大口製本印刷㈱

発　行　㈱草思社
郵便番号　一五〇
東京都渋谷区神宮前四―二六―二六
電話　〇三―三四七〇―六五六五
振替　東京七―二三五五二

乱丁・落丁の場合は、ご面倒ですが、小社営業部宛にご送付ください。送料小社負担にてお取り替えいたします。

Printed in Japan

ISBN4-7942-0477-9